图书在版编目(CIP)数据

100项水工程/吴胜兴主编. —南京：河海大学出版社，2009.3

(水文化教育丛书/郑大俊，鞠平总主编)

ISBN 978-7-5630-2544-2

Ⅰ. 1… Ⅱ. 吴… Ⅲ. 水利工程—简介—世界 Ⅳ. TV-11

中国版本图书馆CIP数据核字(2009)第042843号

书　　名	100项水工程
书　　号	ISBN 978-7-5630-2544-2/TV・300
责任编辑	朱婵玲
特约编辑	马文潭
责任校对	江　南　刘书含
装帧设计	南京千秋企划广告有限公司
出　　版	河海大学出版社
发　　行	江苏省新华发行集团有限公司
地　　址	南京市西康路1号(邮编:210098)
电　　话	(025)83737852(行政部) (025)83722833(发行部) (025)83786934(编辑部)
排　　版	南京理工大学印刷厂
印　　刷	南京工大印务有限公司
开　　本	750毫米×1020毫米　1/16
印　　张	15
字　　数	253千字
版　　次	2009年7月第1版
印　　次	2009年7月第1次印刷
定　　价	680.00元/套(共10册)

(河海大学出版社图书凡印装错误可向本社调换)

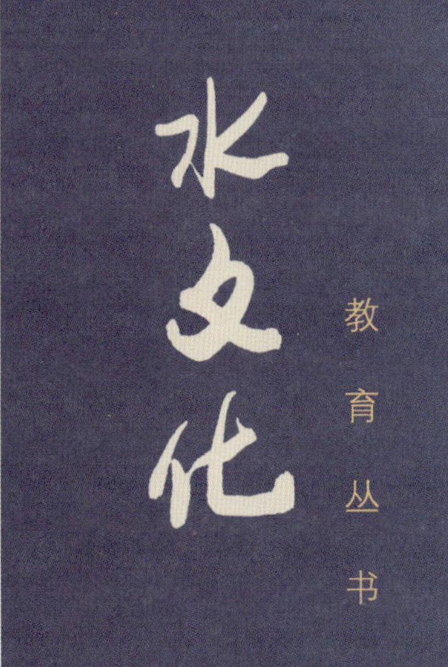

总策划
张长宽

总主审
林萍华

总主编
郑大俊　鞠　平

副总主编
吴胜兴　王如高　李乃富

100项/水工程

主编　吴胜兴
副主编　沈长松　孙学智

弘扬先进水文化，促进水利事业又好又快发展

——《水文化教育丛书》序言

文化是民族的血脉和灵魂，是国家发展、民族振兴的重要支撑。一个民族的文化，凝聚着这个民族对世界和生命的历史认知和现实感受，积淀着这个民族最深层的精神追求和行为准则。党的十七大把文化建设摆在更加突出的位置，对兴起社会主义文化建设新高潮、推动社会主义文化大发展大繁荣作出了全面部署。先进水文化是中华优秀文化的重要组成部分。弘扬和建设先进水文化，为水利事业又好又快发展提供文化支撑，是摆在我们面前的一个重大而紧迫的课题。

我国是一个拥有悠久治水历史的国家，在中华民族五千年文明史中，我们的祖先创造了光辉灿烂的水文化。这些文化，有的以物质形态存在，如都江堰、大运河、坎儿井等举世闻名的水利工程，以及水利工程技术、治水器械工具等物质产品；有的以制度形态存在，如以水为载体的风俗习惯、宗教仪式、社会关系和社会组织、法律法规；有的以精神形态存在，如对水的认识、有关水的价值观念、与水相关的文化心理和文化特征等。这些璀璨的水文化，已经深深熔铸在中华民族的血脉之中，成为民族生存发展和国家繁荣振兴取之不尽、用之不竭的力量源泉。

新中国成立之后，党和国家领导人民进行了规模空前的水利建设，取得了辉煌的成就。特别是1998年特大洪水以后，水利部党组认真贯彻落实科学发展观，按照全面建设小康社会和构建社会主义和谐社会的要求，根据中央水利工作方针，认真总结经验教训，尊重基层和群众的实践创造，与时俱进地提出了可持续发展的治水思路，进行了一系列卓有成效的探索，开启了水利实践的新征程，为水文化建设注入了新的时代内涵。人与自然和谐的治水理念、以人为本的治水宗旨，扬弃了我国传统的治水文化观念，体现了科学发展观的要求；一大批水利水电工程的建设，有力地保障了经济社会发展，激发了民族自豪感，为当代和后人积累了宝贵的物质和精神财富；水利科技创新的突破，水利信息化的推进，显著提升了我国水利的科技含量和现代化水平，武装和改造了传统水利；节水防污型社会建设的深入开展，依法治水的不断推进，促进了传统治水方式和水管理制度的深刻变革；"献身、负责、求实"的水利行业精神，"万众一心、众志成城，不怕困难、顽强拼搏，坚韧不拔、敢于胜利"的伟大抗洪精神，体现了民族精神的精华，丰富了时代精神和社会主义核心价值体系的内涵。这是水文化传统与新时期水利实践相结合的丰硕成果，必将永远激励着我们不断奋斗前进。

当前和今后一个时期，是全面建设小康社会的关键时期，也是传统水利向现代水利转变的关键时期。我们要把科学发展观的根本要求与可持续发展的治水思路的探索实践结合起来，把全面建设小康社会的宏伟蓝图与水利发展的长远目标结合起来，把人民群众过上更好生活的新期待与水利工作的着力点结合起来，进一步增强水利对经济社会发展和改善民生的保障能力，不断创造无愧于时代要求的先进水文化，推动社会主义文化大发展大繁荣。要深入挖掘和弘扬传统水文化的丰富内涵，努力在继承优秀水文化传统的基础上铸造先进水文化；要善于从当今时代波澜壮阔的水利实践中汲取新鲜养分，努力展现先进水文化鲜明的时代特征和强烈的时代气息，更好地适应水利发展与改革的需要；要把培育和弘扬水利行业精神作为建设先进水文化的重要任务，努力把先进水文化更好地融入社会主义核心价值体系之中，激发广大水利干部职工投身水利实践的热情和干劲。

弘扬和建设先进水文化，要坚持研究与教育相结合、普及与提高相结合、继承与创新相结合，向全行业、全社会展示水文化研究成果，普及水文化基本知识，开展水文化宣传教育，不断推动水文化建设在服务水利发展与改革中取得新的实效。我们很高兴地看到，河海大学充分发挥学科优势和学术实力，组织了一批专家、学者，从水利名人、江河湖泊、咏水诗文、城市与水、水工程、水灾害、水用具、水景观、水传说、水歌曲等诸多方面，精心梳理、深入挖掘、全面概括千百年来人类水文化的积淀，编写了《水文化教育丛书》。这套丛书系统地介绍了优秀的传统水文化，宣传了可持续发展的治水思路，展示了水利发展与改革成就，彰显了水利精神，是水利宣传的良好平台、文化传播的优秀载体。希望以《水文化教育丛书》的出版为契机，把水文化的研究和建设推向一个新的阶段，拓宽水利视野，更新治水理念，弘扬水利精神，推进传统水利向现代水利转变。同时也希望通过广泛而深入的水文化教育，呼唤全社会进一步关注水、珍惜水、爱护水，关心水利、支持水利、参与水利，共同谱写水利发展与改革的新篇章。

陈雷

二〇〇八年三月廿八日

前　言

人类为减少由自然灾害造成的损失，采取了多种形式的措施，如兴建各种水利工程，进行拦蓄调节，把多雨季节的雨水储存在水库里，待雨水少的季节放出来；或把多水地区的水引到水少的地区去，实行跨流域调水。在拦蓄、引调的同时，利用水库蓄水后的势能发电，利用水域航运、养鱼以及旅游等综合利用，造福于人类。

本书所收集的百项著名水利工程，都是古今中外水利工程的典范。

我们编写《100 项水工程》的目的在于：

1. 普及水利知识，了解水利行业。水利，人们并不陌生，人类的一切活动离不开水利，但水利的性质和内涵并不是每一个人都了解的。我国水资源和水能资源分布的时空不均衡，只有兴建水利工程加以调节才能更加充分、合理地利用起来。没有水利工程，洪水对环境和生态的影响更大。本书通过 100 项国内外著名水利工程的图片和文字介绍，使读者从不同类型的工程实例中了解认识水利及水利工程带来的巨大效益。

2. 介绍建设成就，培养水利情结。任何一项水利工程，都是广大劳动人民智慧的凝聚，并且留下了人类同自然作斗争的艰辛足迹。本书向广大读者介绍水利建设成就的同时，也穿插一些工程技术内容。因此，编排时除选择工程彩色全景图片、给人以美的感受外，还将枢纽的平面布置、典型剖面及工程技术列入其中，使读者据以了解水利的内涵。

3. 著名工程集锦，查寻方便快捷。《100 项水工程》所收集的典型范例来源较广，分散于各类书籍中，将其集中在一起并精心编排，更便于专业人士和非专业人士阅读查寻，可作为快捷查找著名水利工程的工具书。

精心编排后的 100 项著名水利工程，分著名防洪工程，著名水利枢纽及水电站，著名灌区及调引水工程，著名航道、运河与港口，国外著名水利工程集锦等五个部分。筛选时考虑了以下几个原则：①综合利用效益高：如三峡工程、小浪底工程等，它们不仅防洪、防凌的社会效益巨大，而且还利用挡蓄水量和集中了的势能，产生了巨大的发电效益；②建设规模大：如三峡工程十项设计施工指标均突破了世界水利工程纪录；③有代表性：如水布垭混凝土面板堆石坝、锦屏一级高拱坝代表了中国的坝工技术水平；④结构新颖，技术先进：如凤滩空腹坝、佛子岭连拱坝等新的坝型在世界范围内为数极少；⑤历史悠久，使用年代长：如都江堰、京杭大运河，至今已有数千年的历史。所选工程都在某个方面占据“之最”或“第一”的“冠衔”，有的尽管现在已不是第一，但在修建时不论从规模还是从技术层面上都是属于领先地位的，代表了当时的建筑水平。如鸳鸯池水库，从坝高、库容来讲都不是最大，但它是我国利用现代筑坝技术修建的第一座大坝，故将其选入其中。此外，对我国古代的灵渠、京杭大运河以及现代的红旗渠，国外的巴拿马运河、苏伊士运河等，尽管也是用于灌溉和航运的宏伟工程，但它们更显河湖的特点，故未收入本书而将其选在本系列丛书之《100 条江河湖泊》中。百项水利工程的排列顺序是先国内后国外，然后再按功用（防洪、发电、灌溉、供水、航运等）顺序编排，对每种功用中的工程又按先古代后现代、先北方后南方、先已建后在建的时间和地理位置进行排列。

本书由吴胜兴任主编，沈长松、孙学智任副主编。曹岩、瞿忠烈、方春晖、沈慧等做了大量资料查找和图形处理等工作。顾淦臣、林益才两位教授对所选工程条目进行了认真的审查，并且提出了很好的意见和建议，尉天骄教授从人文角度对全书进行了认真的审阅，在此一并表示感谢！

本书的有关数据、图片等基本素材来源于已公开出版的图书或公开发表的论文以及互联网的搜索，在此向这些素材的原作者们表示感谢！

限于编者水平和时间，本书不足之处在所难免，欢迎广大读者批评指正。

编　者

2008 年春

目录

序言

前言

壹 著名防洪工程

1. 独流减河——治理海河水系的骨干工程 …… 2
2. 黄河大堤(临黄堤)——黄河下游防洪工程体系的主要组成部分 …… 4
3. 东平湖分洪工程——南水北调东线工程最后一级蓄水湖 …… 6
4. 淮河入海水道工程——扩大淮河洪水出路的骨干工程 …… 8
5. 洪泽湖大堤——世界现存最长的古坝之一 …… 10
6. 荆江分洪工程——保障荆江大堤安全的防洪工程 …… 12
7. 治太骨干工程——太湖流域治理及防御工程 …… 14
8. 北江大堤——珠江三角洲的坚固防洪屏障 …… 16

贰 著名水利枢纽和水电站

9. 新安江水电站——中国首座自行勘测、设计、施工的大型水电站 …… 20
10. 三门峡水利枢纽——黄河干流第一座大型水利枢纽 …… 22
11. 盐锅峡水电站——黄河上第一座水电站 …… 24
12. 刘家峡水电站——中国自行设计第一座装机容量 1 000 MW 以上的大型水电站 …… 26
13. 葛洲坝水电站——长江干流上第一座大型水电站 …… 28
14. 长江三峡水利枢纽工程——当今世界上最大的水利工程 …… 30
15. 响洪甸水电站——建国以来首座自行设计的混凝土重力拱坝 …… 34
16. 白山水电站——中国地下厂房断面最大的水电站 …… 36
17. 群英砌石重力拱坝——世界上最高的砌石重力拱坝 …… 38
18. 德基水电站——中国台湾最高的双曲拱坝 …… 40
19. 乌江渡水电站——中国喀斯特地区最高的重力拱坝 …… 42
20. 龙羊峡水电站——中国 20 世纪已建库容最大的水电站 …… 44

21. 凤滩水电站——世界最高的混凝土空腹重力拱坝 …… 46
22. 隔河岩水利枢纽——中国首座上重下拱复合型大坝 …… 48
23. 二滩水电站——中国当今最高的拱坝 …… 50
24. 普定水电站——中国首座碾压混凝土拱坝 …… 52
25. 沙牌水电站——世界最高的碾压混凝土拱坝 …… 54
26. 锦屏一级水电站——中国在建最高的混凝土拱坝 …… 56
27. 湖南镇水电站——中国最高的支墩坝 …… 58
28. 佛子岭水电站——新中国第一坝 …… 60
29. 梅山水电站——中国最高的混凝土连拱坝 …… 62
30. 以礼河梯级水电站——中国最早的高水头梯级水电站 …… 64
31. 碧口水电站——中国第一座使用振动碾碾压施工的土石坝 …… 66
32. 鲁布革水电站——中国第一座用风化料做心墙的堆石坝 …… 68
33. 小浪底水利枢纽——中国规模最大的堆石坝 …… 70
34. 石砭峪定向爆破堆石坝——中国应用复合土工膜防渗加固最高的土石坝 …… 72
35. 南水水电站——中国应用定向爆破技术效果最好的堆石坝 …… 74
36. 天生桥一级水电站——面板面积及堆石体方量世界第一的大坝 …… 76
37. 水布垭水电站——中国最高的混凝土面板堆石坝 …… 78
38. 石龙坝水电站——中国第一座引水式开发的水电站 …… 80
39. 天湖水电站——中国最早兴建的水头超过千米的水电站 …… 82
40. 六郎洞水电站——中国最早的地下水径流水电站 …… 84
41. 岗南水电站——中国第一座混合式抽水蓄能电站 …… 86
42. 广州抽水蓄能电站——世界装机容量最大的抽水蓄能电站 …… 88
43. 天荒坪抽水蓄能电站——中国已建单个厂房装机容量最大、单级水头最高的抽水蓄能电站 …… 90
44. 羊卓雍湖抽水蓄能电站——海拔最高的抽水蓄能电站 …… 92
45. 明潭抽水蓄能电站——中国台湾省最大的抽水蓄能电站 …… 94
46. 江厦潮汐电站——中国最大的潮汐电站 …… 96

叁 著名灌区及调引水工程

47. 芍陂——古代淮河流域最著名的蓄水灌溉工程 …… 100
48. 郑白渠——古代关中地区的大型引泾灌区 …… 102
49. 都江堰——世界现存历史最长的无坝引水工程 …… 104

50. 新疆坎儿井——地下万里长城 …… 106
51. 石津灌区——中国渠道最长的灌区 …… 108
52. 青铜峡灌区——西北地区的塞外江南 …… 110
53. 鸳鸯池水库——中国最早应用现代筑坝技术建成的大型水库 …… 112
54. 人民胜利渠灌区——建国后黄河下游第一个大型引黄自流灌区 …… 114
55. 淠史杭灌区——中国丘陵地区灌溉面积最大的灌区 …… 116
56. 江都水利枢纽——连接长江、淮河水系的大型水利枢纽 …… 118
57. 韶山灌区——湘江流域中游丘陵地区以灌溉为主的综合利用工程 …… 120
58. 东深供水工程——20 世纪末世界最大的调水、净水工程 …… 122
59. 引大入秦工程——规模最大的跨流域调水自流灌溉工程 …… 124
60. 引滦入津工程——跨流域引水的城市供水工程 …… 126
61. 上海黄浦江上游引水工程——中国最大的城市供水工程 …… 128
62. 南水北调工程——跨越水系最多的调水工程 …… 130
63. 恩施橡胶坝——中国已建最高的橡胶坝 …… 132
64. 大伙房水库输水工程——世界上在建的最长隧道 …… 134

著名航道、运河与港口

65. 川江航道——中国西南地区通往东部的主要水运通道 …… 138
66. 大源渡航电枢纽——第一个以电养航的航电枢纽工程 …… 140
67. 天津港——中国最大的人工海港 …… 142
68. 大连港——中国东北地区最大的综合性海港 …… 144
69. 南京港——中国吞吐量最大的内河港口 …… 146
70. 上海港——世界最大的货运港口 …… 148
71. 武汉港——华中地区吞吐量最大的河港 …… 150
72. 广州港——华南地区的综合性主枢纽港 …… 152
73. 香港港——世界最大的货柜港口 …… 154

伍 国外著名水利工程集锦

74. 密西西比河防洪工程——美国最大河流上的防洪工程 …… 158
75. 大古力水利枢纽——20 世纪末世界混流式发电机装机容量最大的枢纽 …… 160

76. 大狄克逊坝——世界最高的重力坝 …… 162
77. 宫濑坝——日本20世纪末已建的最高碾压混凝土重力坝 …… 164
78. 巴克拉水利枢纽——印度河综合利用的骨干枢纽 …… 166
79. 胡佛坝——世界第一座坝高超过200 m的拱坝 …… 168
80. 英古里坝——20世纪世界上最高的拱坝 …… 170
81. 萨扬舒申斯克水电站——20世纪俄罗斯已建的最大水电站 …… 172
82. 伊泰普水电站——20世纪建成的世界最大水电站 …… 174
83. 丹尼尔·约翰逊坝——世界上最高的连拱坝 …… 176
84. 阿斯旺坝——世界上透水地基最深的土石坝 …… 178
85. 谢尔蓬松坝——20世纪法国迪朗斯河上最大的水利枢纽 …… 180
86. 努列克水利枢纽——世界上已建的最高土石坝 …… 182
87. 奥洛维尔坝——美国最高的土石坝 …… 184
88. 塔贝拉水利枢纽——印度河干流上的综合利用水利枢纽 …… 186
89. 拉格朗德二级水电站——加拿大已建的最大水电站 …… 188
90. 塞沙那坝——世界上最早使用振动碾碾压的混凝土面板堆石坝 …… 190
91. 图库鲁伊水电站——世界上岸坡溢洪道泄量最大的土石坝 …… 192
92. 阿瓜米尔帕坝——20世纪世界上最高的面板堆石坝 …… 194
93. 迪诺维克抽水蓄能电站——英国最大的抽水蓄能电站 …… 196
94. 巴斯康蒂抽水蓄能电站——世界装机容量第二大抽水蓄能电站 …… 198
95. 朗斯潮汐电站——世界上最大的潮汐电站 …… 200
96. 雪山调水工程——以发电、灌溉为主的跨流域调水工程 …… 202
97. 加利福尼亚州调水工程——美国西部大型调水工程 …… 204
98. 巴基斯坦西水东调工程——跨流域调水工程 …… 206
99. 罗马水道——古代城市供水系统的输水槽 …… 208
100. 荷兰鹿特丹港——世界最大的港口 …… 210

附录:有关专业名词解释
参考文献
后记

著名防洪工程

壹

SHUI GONG CHENG

1. 独流减河

——治理海河水系的骨干工程

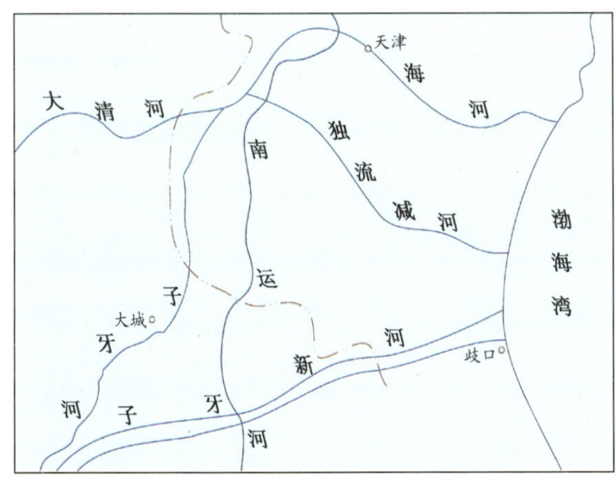

独流减河位置图

独流减河位于天津市西南，由人工开挖而成，其作用是宣泄大清河系洪水入海，确保天津市和津浦铁路的安全，减轻大清河中、下游地区的洪涝灾害。因河流起点在独流镇附近，故名独流减河。

独流减河进口在大清河、子牙河汇流处的第六堡，向东南流入渤海，设计流量为 3 200 m^3/s。河道全长 67.2 km，自上而下可分 3 段：①自进洪闸至北大港上口，长 43.5 km，河底设计纵坡及水面坡均为 1/27 200；②大港行洪道，长 17.8 km，设计水面坡为 1/14 800；③港东入海道，长 5.6 km，设计水面坡为 1/8 100。北大港的作用原是泄洪防潮，蓄淡灌溉，蓄水冲淤，由于后期厂矿建设占据了北大港的大部，其作用已不能充分发挥。距进洪闸 18.5 km 以下，河道内沿堤有南北两条顺堤深槽，北深槽内有一条航道沟，用以通航，并结合排泄东淀底水。大港行洪道及港东入海道两侧也均有深槽，大港行洪道北槽兼作航道，两深槽间为滩地，漫滩行洪。在减河入海口附近，南堤以南有大港油田和北大港水库；北堤以北有大港电厂和石油化工厂以及大港油田天然气田等。河道北堤是天津市南部的重要防洪屏障。

独流减河防潮闸

独流减河上口建有进洪北闸1座，设计流量为1 020 m^3/s，1969年工程扩建时在北闸以南建成进洪南闸1座，设计流量2 360 m^3/s，南、北两闸轴线相距约450 m。减河下口建有工农兵挡潮闸1座，设计流量为3 200 m^3/s。由于海河干流达不到原设计流量1 200 m^3/s，为确保天津市防洪安全，对海河干流按800 m^3/s整治，其余400 m^3/s改由独流减河增泄，因此独流减河设计流量由3 200 m^3/s增为3 600 m^3/s。为此，在1994年改建了工农兵挡潮闸，1995年按3 600 m^3/s标准加高加固了大港段北堤。规划抬高河道行洪水位，进一步采取措施，以达到3 600 m^3/s标准。

工程建成以来，对天津市防洪起到很大作用。进洪北闸1954年过闸最大流量为1 370 m^3/s，是建闸后最大过闸流量；1956年最大泄量为1 190 m^3/s；在1963年海河流域特大洪水中，北闸最大泄量为1 220 m^3/s，经由独流减河泄洪入海的泄洪总量达26.6亿 m^3。在以上3个丰水年内，北闸3次超设计标准运用，经受了洪水的考验。进洪南闸1977年最大过闸流量为568 m^3/s，大大减轻了洪水对北闸的压力。

独流减河进洪闸经过四五十年的运行，出现了地面沉降、淤积严重、泄流不畅、抗滑和抗渗稳定不满足设计要求、设备老化等诸多问题。2005年4月6日，对进洪闸进行除险加固，工程于2007年底全部竣工。工程加固完成后，两闸的设计总泄流量增加到3 600 m^3/s，将在防洪、排涝、灌溉和供水等方面发挥更大的作用。

独流减河进洪闸

2. 黄河大堤(临黄堤)

——黄河下游防洪工程体系的主要组成部分

黄河下游堤防工程,形成于春秋中期,到战国时已具相当规模。现黄河下游有各类堤防 2 291 km,其中临黄堤即通常所说的黄河大堤长 1 371.22 km。

临黄堤包括左、右两岸。是黄河下游防洪工程体系的重要组成部分,其保护范围约 12 万 km^2。

黄河大堤

(1) 右岸临黄堤。右岸临黄堤长 624.24 km,自上而下分 4 段:①孟津堤,自孟津牛庄至和家庙,长 7.60 km。②自河南郑州市的邙山脚下,经中牟、开封、兰考及山东东明、菏泽、鄄城、郓城至梁山国那里,长 340.18 km。③东平湖河段梁山国至东平青龙山的 10 段河湖两用堤及山口隔堤,长 19.32 km。④自济南市郊区宋家庄经历城、章丘、邹平、高青、博兴至垦利县 21 户,长 257.14 km。

(2) 左岸临黄堤。左岸临黄堤长 946.97 km,自上而下分为:①自河南孟州中曹坡,经温县、武陟、原阳至封丘鹅湾,长 171.05 km。②贯孟堤,自封丘鹅湾至吴堂,长 9.32 km。③太

行堤，自长垣大车集至苏东庄，长 22.00 km。④自河南长垣县大车集经濮阳、范县至台前张庄，长 194.48 km。⑤自山东阳谷陶城铺经东阿、齐河、济阳、惠民、滨州至利津 4 段，长350.12 km。

黄河堤防放淤固堤

大堤经历代加高培修而成，由于堤线长，加修频繁，又多系群众性施工，历次洪水时堤基往往出现严重的渗水或流土现象。堤防加固主要采取锥探压力灌浆、抽槽换土、加粘土斜墙和铺盖、反滤排水、修筑前后戗、放淤固堤等措施。自 20 世纪 70 年代以来，放淤固堤的方法得到大力推广，利用黄河水流含沙量大的特点，采用自流放淤、提水放淤、简易吸泥船放淤、泥浆泵放淤等措施，30 年内共开辟淤区堤线 755.6 km，对巩固黄河下游堤防起到了显著作用。经过这些措施加固处理后，大堤仍存在一些隐患和薄弱环节，如按 2 000 年一遇设计洪水位，部分堤防堤身断面不能满足渗透稳定要求；险工的坝垛大部分基础比较脆弱，根石坡度过陡，深度不足，稳定性很差，一遇较大洪水险情丛生，堤防溃决的可能性仍然存在；由于河床淤高，部分堤防堤顶高程不能满足 2 000 年一遇设计水平的要求。

自 2002 年以来，水利部黄河水利委员会提出黄河下游标准化堤防建设，构筑防洪保障线、抢险交通线、生态景观线“三位一体”的标准化堤防体系，谋求黄河下游长治久安。通过险工控导加固改建、放淤固堤、堤防帮宽、堤顶硬化、防浪林等项目建设，构造维持黄河健康生命的基础设施，达到人与自然环境的和谐。

3. 东平湖分洪工程

——南水北调东线工程最后一级蓄水湖

东平湖分洪工程位于黄河、汶河交汇处，跨山东省东平、梁山、汶上3县，用于滞蓄黄、汶河洪水，控制黄河艾山站下泄流量，确保济南市、津浦铁路、胜利油田和黄河下游堤防安全，是黄河下游防洪体系的重要组成部分，同时也是南水北调东线工程途经的最后一级蓄水湖。

东平湖是古代大野泽的遗留水域，也是汶河、济水尾闾汇水的天然湖泊。1855年，黄河改道夺大清河入海后，东平湖便与黄河连通，成为河湖不分的黄河自然滞洪区，民国年间始称东平湖分洪区。1958年汛后修建位山水利枢纽，将东平湖治理成以防洪为主的水库，并兼有灌溉、发电、水运、养殖等综合效益。后因位山枢纽以上河道淤积严重，1963年将该枢纽破坝报废，东平湖再次成为单一分洪工程。

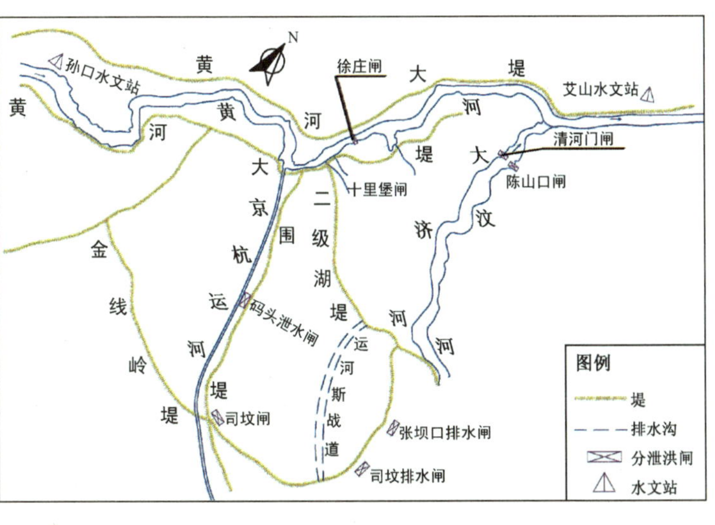

东平湖分洪工程位置示意图

分洪区总面积为627 km^2，北部老湖区常年积水，南部新湖区常年无水。

分洪区运用水位为 45.0 m，相应库容 33.54 亿 m^3。工程主要包括：围堤（含二级湖堤）、分洪闸和泄洪（退水）闸等。

(1) 围堤　共长 100.08 km，一般高 8～10 m，顶宽 10 m，临水坡 1∶3，有防浪干砌石护坡，背水坡 1∶2.5，有后戗（顶宽 4 m，边坡 1∶5）。二级湖堤全长 26.73 km，20 世纪末按顶高程 48.0 m 进行加高加固，可将老湖蓄水水位提高至 46.0 m。

(2) 分洪闸　分洪区有分洪闸 3 座，石洼分洪闸向新湖分洪；林辛分洪闸和十里堡分洪闸向老湖分洪。总设计分洪流量为 8 500 m^3/s。

(3) 泄洪闸　分洪区有陈山口、清河门和司垓 3 座泄洪闸，总设计流量为 3 500 m^3/s。陈山口闸和清河门两闸为老湖向黄河退水之用；司垓泄水闸为紧急向南四湖泄水之用。

陈山口闸

运用东平湖分滞洪水，首先是充分发挥老湖调蓄作用，尽量不用新湖，当老湖容量不足时，可新老湖联合运用。由于黄河河道淤积，湖水北排入黄困难，而当汶河洪量过大时，也可破二级湖堤全湖运用。当全湖运用后仍需南排时，需经国务院批准向南四湖泄洪。工程自建成后，分蓄黄河水两次（1960 年、1982 年），并且每年利用老湖蓄汶河水一次。

南水北调东线工程规划利用东平湖老湖区蓄水，第一期工程调水入东平湖 100 m^3/s，过黄河 50 m^3/s，向山东半岛供水 50 m^3/s，东平湖蓄水按 39.3 m 水位控制。因此，今后东平湖老湖将长期高水位运用，发挥蓄水、供水、调水和灌溉等多种功能，为缓解黄河以北和黄河下游水资源紧缺的矛盾发挥重要作用。

4. 淮河入海水道工程

——扩大淮河洪水出路的骨干工程

洪泽湖洪水出路示意图

淮河入海水道工程位于江苏省淮安、盐城市境内苏北灌溉总渠北侧，是承泄淮河洪泽湖洪水的重要防洪工程，配合现有的入江水道、苏北灌溉总渠和分淮入沂等工程，可使淮河下游和洪泽湖大堤防洪标准近期达到 100 年一遇，远景达 300 年一遇。

洪泽湖是承泄淮河上中游 15.8 万 km^2 洪水的大型湖泊型水库，总库容 176 亿 m^3，其下游洪水出路历来不畅。建国后经过 40 多年的整治，其下游排洪能力已由 8 000 m^3/s 提高到13 000～16 000 m^3/s，但防洪标准仍不足 100 年一遇。若遇淮沂并涨，则只能防御约 50 年一遇洪水。20 世纪 80 年代以来，随着淮河干流上中游河道整治工程的实施，茨淮新河工程竣工，特别是怀洪新河工程的投入运用，加快了洪水入湖进程，下游洪水出路不足的矛盾更加突出。为解决淮河下游洪水出路问题，提高洪泽湖防洪标准，确保下游地区 133 万 hm^2 耕地和近 2 000 万人口的安全，需要增建入海水道工程。

淮河入海水道西起洪泽湖东侧二河口，沿灌溉总渠北侧与总渠成“二河三堤”布置，横穿江苏省淮安、盐城两市的 4 个县(市)、区及淮海农场，最后在

扁担港北注入黄海，全长163.5 km。工程分两期实施：近期工程按分泄洪泽湖洪水2 270 m^3/s设计，使洪泽湖的防洪标准提高到100年一遇，并且使渠北地区达到5年一遇洪水的排涝能力；工程远景按泄洪7 000 m^3/s扩建，使洪泽湖防洪标准提高到300年一遇，同时使渠北地区达到10年一遇洪水的排涝能力。

淮河入海水道二河新闸

入海水道近期工程主要包括河道堤防、泓道、枢纽、跨河桥梁、穿堤建筑物和渠北排灌影响处理工程等。

近期工程河道南堤沿灌溉总渠北堤加高加固，北堤新筑。堤顶高程按设计洪水位加超高确定，其中南堤加超高2.5 m，北堤加超高2.0 m，顶宽均为8 m。泓道分南北两泓，规模按渠北地区5年一遇设计，除涝流量扣除渠北部分泵站抽排以及排入总渠的流量确定，并按高低水分排的原则布置；运西段按筑堤土方控制挖单一泓道，南泓排滩面涝水；运东挖南北两泓。水道与二河、京杭运河、通榆河相交，最后注入黄海，相应建设二河、淮安、滨海、海口4处枢纽，另建有淮阜控制闸。

淮河入海水道淮安枢纽

5. 洪泽湖大堤

——世界现存最长的古坝之一

洪泽湖大堤北起淮安市淮阴区马头镇，经洪泽县高良涧，南抵盱眙县大张庄，全长67.25 km，是淮河下游重要的流域性防洪工程。

洪泽湖大堤

洪泽湖大堤古称高家堰。东汉建安五年（公元198年），广陵太守陈登于淮河边的富陵湖、白水塘等诸湖荡的东北隅筑高家堰，形成洪泽湖大堤的雏形。后经历代逐步加高培厚接长，规模渐大。明万历八年（公元1580年）至清乾隆十六年（公元1751年）间，在大堤的迎水面建直立式石工墙，墙长60.1 km，高7～8 m，甚为壮观，有“水上长城”之称，是目前世界上现存最长的古坝之一。然而，几百年来，每逢汛期，由于上游来水与下泄能力悬差很大，故大堤屡遭溃决，给下游造成毁灭性灾害。新中国成立后，对洪泽湖大堤进行了4次大规模的加固。1951年对大堤石墙裂缝、错动、倾斜等险工险段进行修复；1966年对大堤石工墙进行加固改建，并将高良涧至蒋坝段石工墙由直立式条石墙改为条石护坡，同时增筑防浪林台；1976年，唐山地震后对大堤实施抗震加固；1976年到1978年

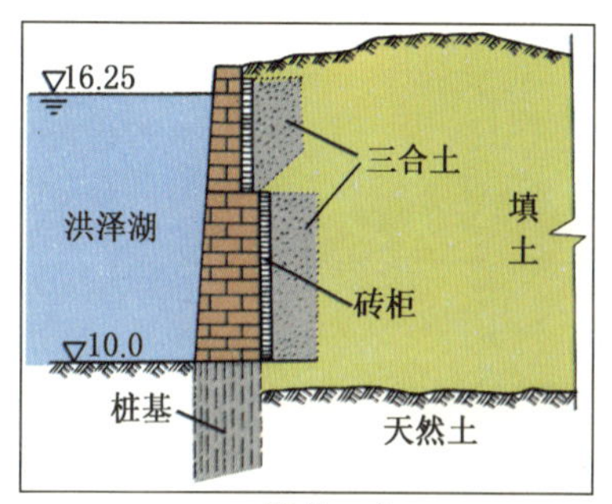

(单位：m)

高家堰

春，在高良涧至蒋坝段堤后加筑 20 km 二级戗台，并且结合取土在堤后开挖顺堤河。目前，洪泽湖大堤堤底高程为 10.0～10.5 m，堤顶高程为 19.0～19.5 m，堤前防浪林台高程 14.5 m，堤后三级戗台的高程分别为 17.0 m、14.0 m 和 11.0 m。

洪泽湖大堤经 4 次加固后，在防洪抗灾，发挥洪泽湖水灌溉、供水、航运、水产养殖、环保和旅游等综合效益方面起了巨大的作用。但是，由于涉及堤身内部结构，特别是未将决口处块石、埽工等彻底清除，致使堤身内部仍留有许多隐患。2000 年汛前检查发现，在洪泽湖大堤 52K 段有冒水现象，在 53K、56K 段有大片积水和洇潮现象。有关部门先后采用地质勘探、同位素地下渗流场测试、水位流量观测和隐患探测等手段对大堤进行检测，并且采取地下混凝土截渗墙、压密注浆堤后截渗、导渗方法进行处理，有效地控制了大堤的渗漏情况。

洪泽湖大堤石工墙

洪泽湖大堤留有丰富的治水文化遗迹，沿线名胜众多。堤上仁、义、礼、智、信五座减水坝遗址，周桥越堤遗址、镇水铁牛和乾隆御碑等，是古代人民与洪水作斗争的历史见证，具有深厚的水文化底蕴。2006 年，洪泽湖大堤被列为第六批全国重点文物保护单位。

6. 荆江分洪工程

——保障荆江大堤安全的防洪工程

荆江分洪工程位于荆江南岸（右岸）湖北省公安县境内，用来分蓄超过荆江河道安全泄量的超额洪水，是保障荆江大堤安全的防洪工程，也称荆江分洪区。

长江自湖北省枝城至湖南省城陵矶段，全长 337 km，流经湖北省荆州地区，称为荆江。荆江大堤是长江河道的重点堤防之一。大堤保护面积广且堤身较高，万一溃决，广大的荆北平原将成泽国，还可能使长江断航，并且威胁武汉市的安全。为减轻大堤防洪负担，1952 年修建了荆江分洪区。

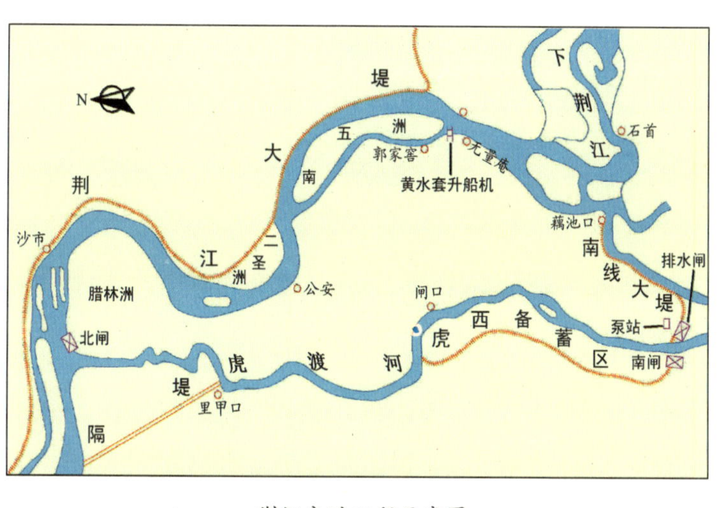

荆江分洪工程示意图

分洪区面积为 920 km^2，南北长约 70 km，东西宽约 30 km，四面环堤，有效容积为 54 亿 m^3。围堤内设有临时安置房、仓库等用于临时避水和保存重要物资，还有黄水套升船机一座、灌溉闸 10 余座、电排泵站 3 座。

工程主要有围堤工程、分洪闸、泄洪工程和节制闸等。

(1) 围堤全长 211 km，为防风浪冲刷，区内沿堤植柳，南线大堤采用干砌块石护坡，其余植草护坡。

(2) 太平口分洪闸也称北闸，最大设计流量为 8 000 m^3/s。

(3) 分洪区泄洪工程运行分两种情况：①分洪期间，当分洪区水位达 41 m、预报将超过 42 m 时，在无量庵扒口泄洪；②当分洪过程结束、分洪区水位不超过 42 m 时，待江水位下落，首先从无量庵江堤扒口泄入长江，剩余水量由南线大堤上两座泄洪闸泄入虎渡河。

(4) 黄山头节制闸也称南闸。当分洪区水位达到 42 m 时，如果分洪区虎渡河东堤下段决口，将增加虎渡河流量，危及黄山头以下两岸圩垸安全，节制闸下泄流量不超过 3 800 m^3/s。

1954 年长江大水，荆江分洪工程先后开闸 3 次，共分洪 30 天。第 3 次北闸与腊林洲江堤扒口，降低沙市水位约 1.0 m。在分洪过程中，向虎渡河及长江泄放了部分洪水，保证了荆江大堤的安全。1954 年以后，分洪区未再使用。随着荆江堤防加培、裁弯工程等措施的实施，分洪区的运用机会比始建期有所减少。上游三峡水库建成并发挥防洪作用后，分洪区运用的频率从 10 年一遇提高到 100 年一遇。

荆江大堤

7. 治太骨干工程

——太湖流域治理及防御工程

太湖流域治理骨干工程简称治太骨干工程。由望虞河、太浦河、环太湖大堤、杭嘉湖南排、湖西引排、武澄锡引排、东西苕溪防洪、拦路港、红旗塘、杭嘉湖北排和黄浦江上游干流防洪等 11 项骨干工程组成。工程以防洪、除涝为主，统筹考虑供水、航运和水环境等综合效益。

1991 年长江、淮河大水以后，国务院作出《关于进一步治理淮河和太湖的决定》，对太湖流域进行水利综合治理。规划的原则是统筹兼顾、综合治理、全面发展、分期实施。流域防洪以 1954 年实际降雨过程作为设计标准，该年最大 90 天降雨量约相当于 50 年一遇；各水利分区防洪、排涝一般选用当地 20 年一遇的短期暴雨作为设计标准。流域供水以 1971 年实际降雨过程作为设计标准。

11 项治太骨干工程分为 3 类：第 1 类以太湖洪水安全蓄泄为主要目标；第 2 类是以地区排涝和引水效益为主、对流域防洪也有重要作用的工程；第 3 类是协调省（直辖市）际边界工程。其中，以太湖洪水安全蓄泄为主要目标的骨干工程，包括：

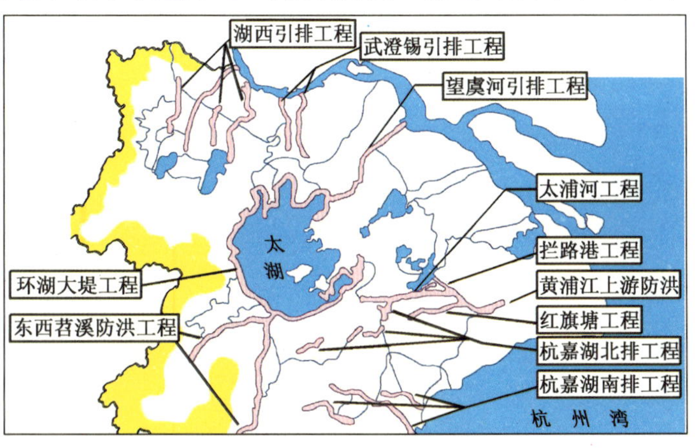

治太骨干工程分布示意图

（1）望虞河工程　南起太湖滨沙墩口，北至耿泾口入

望亭立交工程

长江，全长 60.8 km，均在江苏省境内，为一等工程。主要包括河道工程、望亭水利枢纽和常熟水利枢纽。

（2）太浦河工程　西起太湖滨横扇镇，东接泖河，经斜塘入黄浦江，全长 57.6 km，其中江苏境内 40.73 km，浙江境内 1.63 km，上海境内 15.24 km，为一等工程。主要包括河道工程、太浦闸加固和太浦河泵站工程。

（3）环太湖大堤　大堤全长 282.0 km，其中江苏段 217.0 km，浙江段 65.0 km。工程主要包括大堤土方、迎湖面挡墙和护岸、沿线口门控制建筑物和防汛公路等。

（4）杭嘉湖南排工程　属浙江杭嘉湖地区涝水排入杭州湾的工程体系，由沿杭州湾的 4 个出海口门建筑物（一等工程）及相应的河道工程（三等工程）组成：南台头闸，配套河道长 80 km；长山闸，配套河道长 75 km；盐官下河枢纽，由挡潮闸和泵站组成，配套河道长 25 km；盐官上河闸，配套河道长 23 km。

太浦闸加固工程

治太骨干工程在建设过程中，抗御了 1995、1996、1998 年的 3 次常遇洪水及 1999 年流域特大洪水，合计防洪减灾直接经济效益达 156 亿元。1999 年，太湖创历史最高水位 5.08 m，通过合理调度及全力防汛抢险，工程直接减灾经济效益达 92 亿元。如遇 1954 年型大水，环太湖大堤可调蓄进入太湖洪水总量的 1/2，约 45.6 亿 m^3，望虞河、太浦河各承担太湖外排洪水量 23.1 亿 m^3 和 22.5 亿 m^3，太湖最高水位将不超过 4.65 m（1954 年实况水位），保证了流域整体安全。各地区对当地局部暴雨的防洪标准提高至 10～20 年一遇，供水条件亦将有较大改善。如遇 1971 年型枯水，沿长江可引水 76 亿 m^3，将抬高湖西、武澄锡虞、阳澄淀泖和杭嘉湖等区的河网水位，加大黄浦江净泄流量，改善上海市黄浦江取水口江段水质。

8. 北江大堤

——珠江三角洲的坚固防洪屏障

北江大堤位于北江下游左岸，是广州市防御西江和北江洪水的重要屏障，国家一级堤防。

大堤北起清远市清城区石角镇的骑背岭，沿大燕水出北江干流南下，经三水市的大塘、芦苞、黄塘、河口、西南镇，至南海市小塘镇狮山止，全长63.35 km，沿线分布有穿堤涵闸29座，其中包括芦苞和西南两座大型分洪水闸。

1954年培修北江大堤

北江大堤保护区是历史上洪水经常泛滥的地区。新中国成立后，1954年把原来独立分散的堤围沿北江左岸连接起来进行培修，1957年修复芦苞水闸、增建西南水闸，形成了北江大堤完整的防洪体系。1970—1971年对北江大堤进行了第二次群众性大培修。1982年大洪水后，经鉴定发现，大堤防洪标准只达20年一遇，不能满足广州市100年一遇的防洪标准，于是在1983—1987年间对大堤按100年一遇防洪标准进行第3次较大规模的培修加固，工程完成后经受住了1994年50年一遇洪水的严峻考验。

北江大堤经3次大规模培修加固，其抗洪能力得到提高。但是，限于当时的社会经济条件和大堤本身形成的历史原因，工程仍存在以下问题：透水

堤基渗漏严重，旧堤身填土质量差；河床下切，局部水流顶冲大堤，深泓逼岸，甚至淘刷堤脚，险工险段增多；穿堤建筑物运行已超过40年，设备陈旧、老化、失修，严重威胁大堤的防洪安全；大堤断面及其防护能力尚不能满足《堤防工程设计规范》(GB 50286—98)的要求，堤防及相应穿堤建筑物的等级需要提高，堤坡需要放缓，安全超高和堤顶宽度均需增加，防汛道路等基础设备需要完善；同时，芦苞、西南两分洪道年久失修，险工隐患多，河道淤积严重，不能满足原设计分洪要求，水环境日益恶化，已威胁沿岸部分人民的身体健康。

加固达标的北江堤(黄塘堤段)

2003年10月29日，由国务院批准立项的北江大堤加固达标工程正式开工，对北江大堤按Ⅰ级堤防、100年一遇防洪标准进行达标加固，全部加固工程于2007年底结束。达标后的北江大堤不仅成为名副其实的珠江三角洲的坚固防洪屏障，而且63 km的干堤也变成了绿色长廊，美化了沿线城市市容。

著名水利枢纽和水电站

贰

9. 新安江水电站

——中国首座自行勘测、设计、施工的大型水电站

新安江水电站位于浙江省杭州市境内钱塘江支流新安江上，距杭州市区 170 km。电站主要担负华东电网调峰、调频和事故备用任务，并且有防洪、灌溉、航运和养殖等综合效益。

新安江水电站

工程由混凝土宽缝重力坝、坝后溢流式厂房和开关站等组成。

新安江水电站是中国第一座自己勘测、设计、施工和制造设备的大型水电站，反映了 20 世纪 50 年代中国水电建设的水平。工程于 1957 年 4 月开工，1960 年 4 月第 1 台机组发电。1973 年，河海大学(原华东水利学院)赵人俊教授等在对新安江水库作入库流量预报工作中，提出了降雨径流流域模型(简称新安江模型)，在 1989 年被誉为“新中国成立 40 年来 100 项重大科研成果之一”，后通过不断的研究和完善，形成了完整的蓄满产流洪水预报理论，现已成为我国应用最广、效果最好的流域水文模型，不仅很好地服务于科研生产，而且极大地丰富了教学内容。该成果已经被一些欧美国家编入了教科书，并且已被应用于美国国家河流洪水预报系统。

新安江水库也被誉称“千岛湖”，与杭州、黄山等旅游胜景联成一线，成

为沪杭地区著名的旅游胜地。坝址控制流域面积10 480 km^2，年径流量113亿m^3。水库总库容220亿m^3，调节库容102.7亿m^3，具有多年调节性能。

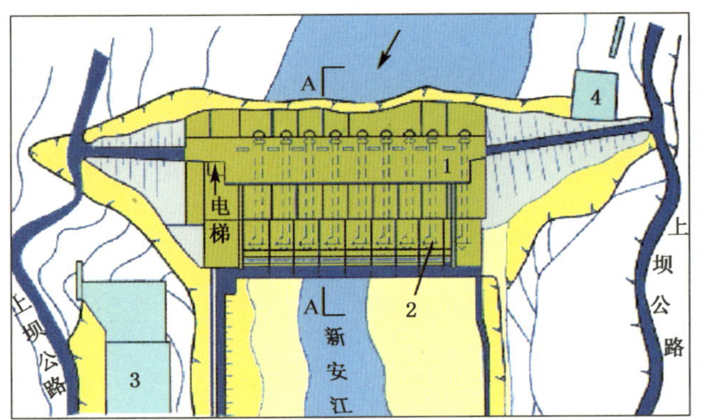

(a) 枢纽平面布置

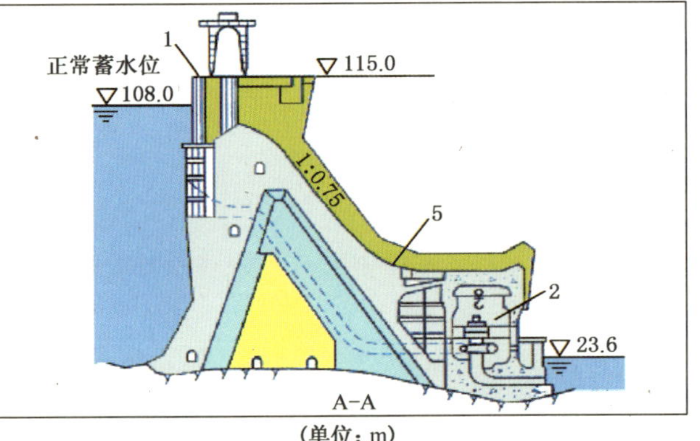

(单位：m)
(b) 溢流坝剖图

新安江水电站枢纽平面布置及溢流坝剖面图
1—大坝；2—厂房；3—高压开关站；
4—升船机闸首；5—坝顶泄洪道

拦河大坝采用混凝土宽缝重力坝，最大坝高105 m，坝线全长465.4 m。大坝按1 000年一遇洪水设计，按10 000年一遇洪水校核。河床坝段布置9个溢流表孔，每孔宽13 m，设计中因地制宜采用厂房顶溢流方式，下泄水流通过厂房顶经末端差动式鼻坎挑向下游。

电站总装机容量662.5 MW，保证出力178 MW，多年平均年发电量18.6亿kW·h。坝后式厂房顶部与大坝溢流面衔接，用钢筋混凝土拉板结构与坝体简支连接，下部则与坝体分离。

经新安江水库调节，使下游建德、桐庐和富阳3市（县）2万余hm^{2}农田免受洪水灾害。1960—1988年已拦蓄大于10 000 m^3/s的洪水11次，减轻直接经济损失1.1亿元以上。水库上游形成深水航道，船舶可由大坝直达安徽省歙县，水库下游在枯水期增加了流量，航道得以改善。水库水面宽广，水产丰盛，20世纪90年代中期，鱼产量达3 500～4 000万t/a，比建库前增加35倍以上。

10. 三门峡水利枢纽

——黄河干流第一座大型水利枢纽

三门峡水利枢纽位于河南省三门峡市和山西省平陆县交界的黄河干流上，是黄河干流上第一座大型水利枢纽。枢纽主要任务是防洪、防凌、灌溉和发电。

枢纽主要建筑物包括：混凝土重力坝和坝后式厂房。

枢纽位于潼关以下峡谷河段，因河床中原有两座岛，将河流分成 3 个过流口门，故称三门峡。工程于 1957 年 4 月开工，1960 年大坝基本建成，同年 9 月下闸蓄水，1962 年安装了第一台机组。

坝址以上流域面积 68.84 万 km^2，多年平均流量 1 350 m^3/s，多年平均年径流量 419 亿 m^3，平均含沙量 37.6 kg/m^3。水库总库容为 159.35 亿 m^3。

混凝土重力坝坝顶高程 353 m，最大坝高 106 m，坝身泄水孔最大泄流量6 000 m^3/s。电站原设计装机 8台，总容量1 160 MW。

改建后的三门峡水利枢纽全景图

由于原设计对黄河泥沙和水库淤积规律认识不足，在水库蓄水后库区泥沙淤积严重，后水库降低水位运行，滞洪排沙，但淤积仍继续，库容损失与日俱增。于是，1964 年对工程进行了第一次改建，在左岸增建 2 条泄洪排沙隧洞，

将 4 条发电引水钢管改作泄流排沙之用。水库淤积虽有所缓和，但枢纽泄洪规模仍然偏小，不能解决一般洪水的淤积问题。之后，在 20 世纪 70 年代初和 80 年代又两次对工程进行改建，枢纽现有泄水建筑物总泄量为 9 701 m^3/s。

改建后的三门峡水利枢纽在防洪、防凌、灌溉和发电等方面发挥了综合利用效益。保持 335 m 高程以下防洪库容约 60 亿 m^3，当花园口发生超过 22 000 m^3/s 的大洪水时，枢纽可部分或全部关闭闸门控制，减轻下游防洪负担；凌汛期解除下游冰凌危害；灌溉农田 20 万 hm^2，并且向胜利油田和下游城市供水；多年平均年发电量 10 亿 kW · h。

改建后的三门峡水利枢纽平面布置图

三门峡水利枢纽工程的实践，使人们加深了对黄河水沙规律的认识，提出了各种改建措施，探索出蓄清排浑、调水调沙等控制运行方式，水库淤积得到控制，综合利用效益得到保证，丰富和发展了水库泥沙科学，为开发利用多泥沙河流积累了经验。

11. 盐锅峡水电站

——黄河上第一座水电站

盐锅峡水电站位于甘肃省永靖县黄河干流盐锅峡出口处，距兰州市 70 km，是黄河干流上最早建成的以发电为主、兼有灌溉效益的大型水利枢纽工程。

盐锅峡水电站全景

枢纽工程由溢流坝、挡水坝、坝后式厂房及灌溉引水管道等组成。

坝址控制流域面积 18.28 万 km^2，多年平均流量 899 m^3/s，年径流量 285 亿 m^3，年输沙量 9 170 万 t。水库总库容 2.2 亿 m^3。

盐锅峡水电站 1958 年 9 月 27 日正式动工兴建，1961 年 11 月 18 日第一台机组投产发电，1975 年第 8 台机组发电后因故停建。后于 1988 年 3 月至 1990 年 6 月、1997 年 2 月至 1998 年 12 月间又分别扩建安装了 9 号、10 号机组，现电站总装机容量为 452 MW，保证出力 205 MW，年发电量 22.8 亿 kW·h，为西北地区的经济发展和社会进步做出了巨大贡献。

盐锅峡水电站素以“工期短、造价低、效益高”而闻名于全国，享有“黄河上的第一颗明珠”之美誉。电站的建成投产，实现了中国人民“征服黄河、造福人类”的伟大夙愿。在电站投入运行不到两年的时间内，由于黄河来水含

沙量大，加之电站缺乏有效的排沙设施，造成水库容量急剧减少、机组出力无法达到要求。在与黄河泥沙进行艰苦斗争的过程中，广大工程技术人员逐渐摸索、总结出多泥沙河流上大型水电站安全运行的有效方式，电站的各项经济技术指标也都排在国内同类电站前列。

为节省坝体混凝土，电站大坝采用混凝土宽缝重力坝坝型。坝轴线全长 321 m，最大坝高 57.2 m。大坝按 200 年一遇洪水设计，1 000 年一遇洪水校核。溢流段位于大坝右侧，设有 12 m×10 m 溢流孔。厂房位于大坝左侧坝后，装有 3 台 44 MW 和 6 台 45 MW 水轮发电机组，设计水头 38 m，保证出力 139 MW。灌溉引水管设在大坝两端。

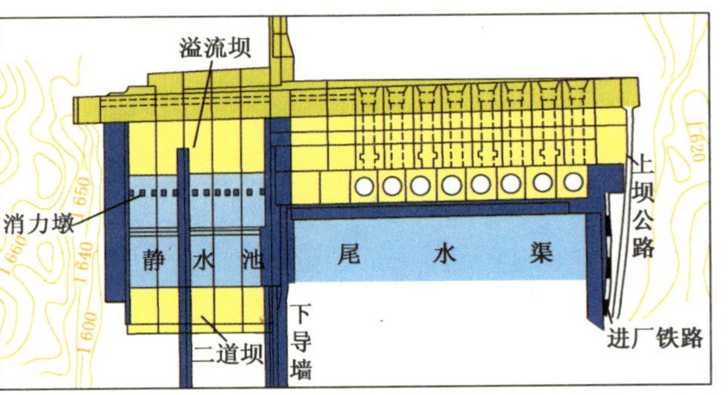

盐锅峡水电站平面布置图

12. 刘家峡水电站

——中国自行设计第一座装机容量 1 000 MW 以上的大型水电站

刘家峡水电站位于甘肃省永靖县境内，在兰州市上游 100 km 的黄河刘家峡峡谷中，是中国自行设计和建设的第一座装机容量 1 000 MW 以上的大型水电站。工程以发电为主，兼有防洪、灌溉、防凌、供水和养殖等综合效益。

枢纽由挡水建筑物、泄洪排沙建筑物及引水发电建筑物三部分组成。

坝址控制流域面积 18.177 万 km^2，年径流量 273 亿 m^3，年输沙量 8 940 万 t。水库正常蓄水位 1 735 m，相应库容 57 亿 m^3，具有不完全年调节性能。

工程于 1958 年 9 月开工，1969 年 3 月第一台机组发电，1974 年竣工。刘家峡水电站的建设为中国高坝和大型水电站的设计、施工积累了丰富经验。在 20 世纪 60 年代，刘家峡水电站有多项指标当时属国内首创，如国内最高的混凝土重力坝、泄洪建筑物流速高达 45～35 m/s、大型地下结构、高压闸门和相应启闭机、大容量机组、330 kV 输变电设备等。1978 年获全国科学大会科技成果奖，1981 年被评为国家优秀设计项目，此后又被评为国家优质工程。主坝为混凝土重力坝，最大坝高 147 m，坝长 204 m；左副坝为混凝土重力坝，右副坝为黄土心墙堆石坝。大坝按 1 000 年一遇洪水设计，10 000 年一遇洪水校核。泄洪排沙建筑物包括：右岸岸边 3 孔开敞式

刘家峡水电站全景

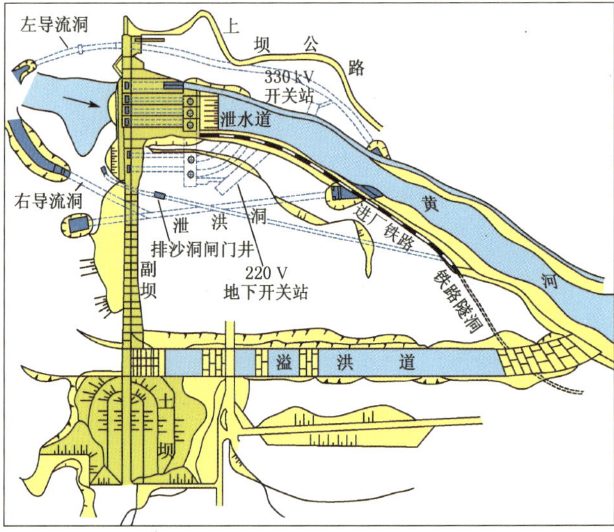

刘家峡水电站平面图

溢洪道、右岸泄洪隧洞（由导流洞改建而成）、左岸坝身2孔泄水中孔、右岸排沙隧洞。水电站装有3台225 MW混流式水轮机组（20世纪90年代已有2台改造为250 MW）和1台250 MW、1台300 MW双水内冷机组。

刘家峡水电站除自身具有巨大的防洪、发电、灌溉等综合效益外，还可与龙羊峡水库、刘家峡水库联合调度，下游各梯级又可增加以下效益：①增加盐锅峡、八盘峡、青铜峡保证出力250 MW。在龙羊峡初期运行时，刘家峡水电站保证出力由400 MW增加至550 MW，年发电量由57亿kW·h增至59.4亿kW·h。②提高下游各梯级电站的防洪能力，刘家峡水库由5 000年一遇洪水标准提高到可能发生的最大洪水（洪峰流量为11 800 m^3/s）；盐锅峡水库由1 000年一遇洪水标准提高至10 000年一遇；八盘峡水库由300年一遇洪水标准提高至1 000年一遇。③龙羊峡、刘家峡两水库联合调度后，刘家峡水库为黄河上游的反调节水库，担负下游灌溉、防洪和防凌等调节任务，可显著减轻下游宁夏、内蒙古地区的洪涝灾害和凌汛灾害，满足下游工农业供水的需要。截至2000年，刘家峡水库实质上已承担了13年的反调节水库作用，如果黑山峡暂时不能兴建，则刘家峡水库将继续承担其反调节水库的作用。

溢洪道泄洪

13. 葛洲坝水电站

——长江干流上第一座大型水电站

葛洲坝水电站全景

葛洲坝水电站位于湖北省宜昌市，在长江三峡出口南津关下游 2.3 km 处，是长江干流上兴建的第一座大型水利枢纽，也是三峡工程的航运梯级，可对三峡水电站下游水位进行反调节，并且可利用河段落差发电。

枢纽建筑物自左岸至右岸依次为：左岸土石坝、3 号船闸、三江冲沙闸、混凝土非溢流坝、2 号船闸、混凝土挡水坝、二江电站、二江泄水闸、大江电站、1 号船闸、大江泄水冲沙闸、右岸混凝土挡水坝和右岸土石坝。

葛洲坝工程于 1970 年 12 月开工，1981 年 1 月实现大江截流，同年 6 月三江船闸通航，7 月二江电站第一台机组投产发电，1983 年二江电厂全部机组建成发电，1986 年 6 月大江第一台机组并网发电。

坝址控制流域面积约 100 万 km^2，水库总库容 15.8 亿 m^3。混凝土大坝坝顶高程 70.0 m，最大坝高 48 m，坝顶全长 2 606.5 m。二江泄水闸共 27 孔，最大泄流量 83 900 m^3/s；三江冲沙闸共 6 孔，最大泄流量 10 500 m^3/s；大江泄水冲沙闸共 9 孔，最大泄流量 20 000 m^3/s。水电站为河床式，其中二江电站安装 2 台 170 MW 和 5 台 125 MW 机组，大江电站安装 14 台 125 MW 机组，总装机容量为 2 715 MW，年发电量 157 亿 kW · h。通航建筑物包括 2 条航道和 3 座船闸，其中大江航道设 1 号船闸，三江航道设 2 号

和 3 号船闸。1 号和 2 号船闸闸室有效尺寸为长 280 m、宽 34 m，可通过大型客货轮和万吨级船队。3 号船闸有效尺寸为长 120 m、宽 18 m，可通过 3 000 t 级客货轮。

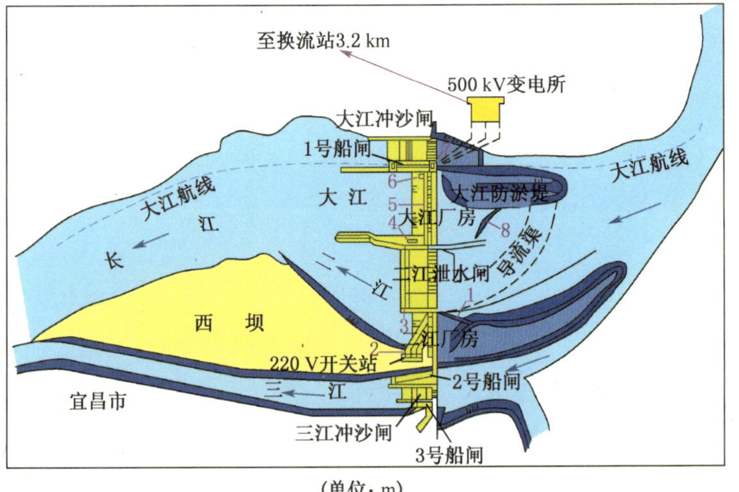

(单位：m)

葛洲坝工程枢纽布置图

1—导沙坎；2—操作管理楼；3—厂闸导墙(排漂孔)；4—左管理楼；
5—中控楼；6—右管理楼；7—右安装场(排漂孔)；8—拦(导)沙坎

葛洲坝工程的兴建，解决了一些复杂的技术问题。例如，施工中采用“先在龙口段抛投钢架石笼和混凝土四面体形成拦石坎护底”的方法解决了大流量下的截流问题；采用设防渗板和抽排措施降低扬压力、齿墙切断软弱夹层等措施提高坝体抗滑稳定性；采用“静水通航、动水冲沙”的运行方式成功地解决了河势规划和航道淤积问题；中国自行设计、制造的单机容量 170 MW 的水轮机组，是 20 世纪世界上大型低水头转桨式水轮机之一。

14. 长江三峡水利枢纽工程

——当今世界上最大的水利工程

长江三峡水利枢纽工程(简称三峡工程)位于湖北省宜昌市三斗坪、长江干流西陵峡中,距三峡出口南津关 38 km,下游 40 km 处为葛洲坝水利枢纽。工程具有防洪、发电、航运等综合效益,是当今世界上最大的水利工程。

枢纽主要建筑物包括:大坝、水电站、泄洪建筑物和通航建筑物(五级船闸及升船机)。坝址控制流域面积 100 万 km^2,多年平均流量 14 300 m^3/s。水库总库容 393 亿 m^3,其中防洪库容 221 亿 m^3。枢纽主要建筑物设计洪水标准为 1 000 年一遇,洪峰流量 98 800 m^3/s;校核洪水标准为 10 000 年一遇加 10%,洪峰流量 124 300 m^3/s。

三峡大坝全景

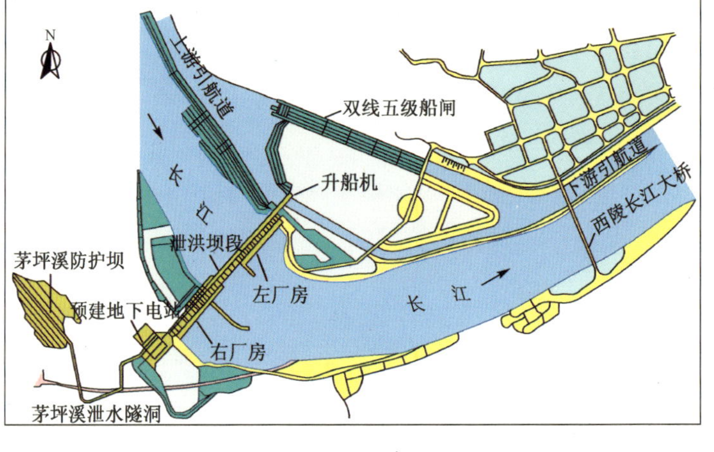

三峡工程平面布置图

中国对兴建三峡水利工程的设想和探索由来已久。早在20世纪初，孙中山先生曾提出开发三峡水力资源的设想。1944年，中国资源委员会与美国垦务局的萨凡奇，L. L. 博士等协作进行了建坝方案的研究，提出了在南津关建坝的扬子江三峡计划初步报告。中华人民共和国成立后，开展了三峡工程建设的前期工作，水利部长江水利委员会做了大量的勘测、科研和规划设计工作。1986年，原水利电力部组织各方面专家对三峡工程的可行性进行论证，认为三峡工程对长江中游防洪的作用不可代替，发电、航运效益巨大，移民及环境问题可以妥善解决，应早日兴建。根据论证成果，水利部长江水利委员会于1989年提出三峡工程可行性研究报告，经国务院审查后，于1992年4月3日在第7届全国人大第5次会议上审议通过，将兴建长江三峡水利枢纽列入国民经济和社会发展十年规划。经过多种方案比较研究，确定采用“一级开发、一次建成、分期蓄水、连续移民”的实施方案。

三峡工程计划全部工期17年，分三个阶段完成。第一阶段（1993—1997年）为施工准备及一期工程，以实现大江截流为标志；第二阶段（1998—2003年）为二期工程，以实现水库初期蓄水、第一批机组发电和永久船闸通航为标志；第三阶段（2004—2009年）为三期工程，以实现全部机组发电和枢纽工程全部完建为标志。2006年5月20日，最后一仓混凝土浇筑完毕，标志着三峡大坝全线建成。

拦河大坝为混凝土重力坝，坝顶高程185.0 m，最大坝高175.0 m。右岸茅坪溪副坝为沥青混凝土心墙砂砾石坝，最大坝高104 m。水电站总装机容量18 200 MW，共安装26台700 MW水轮发电机组，其中左岸厂房14台，右岸厂房12台。另外，在右岸山体内预留地下厂房位置，后期拟扩机6台，容量4 200 MW。

通航建筑物包括永久船闸和升船机。永久船闸为双线五级船闸，可通过万吨级船队；升船机为单线一级垂直提升式，可通过 3 000 t 级客货轮。

在工程施工中，建设者攻克了多项世界级技术难题，例如，大江截流、导流明渠截流、深水围堰施工、船闸直立高边坡开挖及稳定变形控制、混凝土浇筑、特大金属结构和特大水轮发电机组安装等。作为世界上最大的水利枢纽工程，三峡工程的许多设计指标都突破了世界水利工程纪录，主要有：

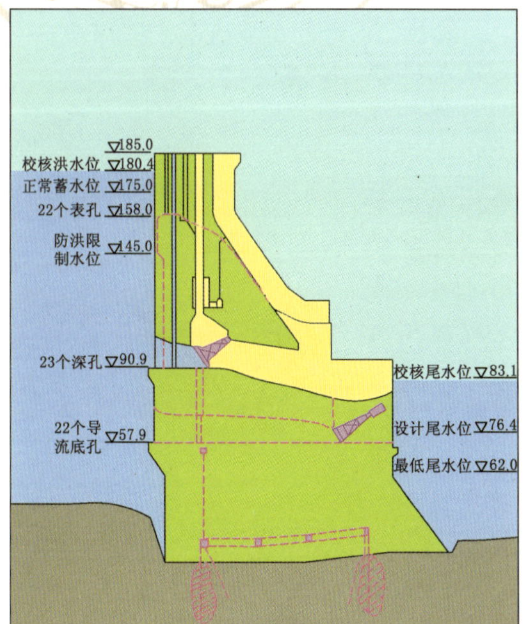

三峡工程溢流坝段剖面图

(1) 水库总库容 393 亿 m³，防洪库容 221.5 亿 m³，水库调洪可消减洪峰流量达 2.7～3.3 万 m³/s，是世界上防洪效益最为显著的水利工程。

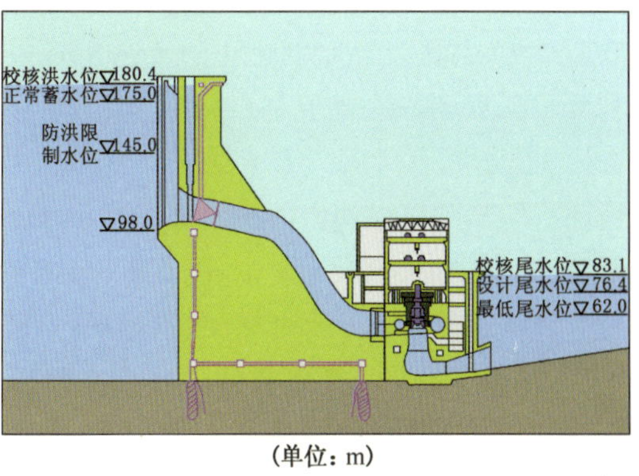

三峡工程厂房坝段剖面图

(2) 水电站总装机 18 200 MW，年平均发电量 846.8 亿 kW·h，是世界上最大的电站。

(3) 大坝坝轴线全长 2 309.47 m，泄流坝段长 483 m，双线 5 级船闸＋升船机，无论单项、总体都是世界上建筑规模最大的水利工程。

(4) 工程主体建筑物土石方挖填量约 1.34 亿 m³，混凝土浇筑量 2 794 万 m³，钢筋制作安装 46.30 万 t，金属结构制作安装 25.65 万 t，是世界上工程量最大的水利工程。

(5) 2000 年混凝土浇筑量为 548.17 万 m³，月浇筑量最高达 55 万 m³，

创造了混凝土浇筑的世界记录，是世界上施工难度最大的水利工程。

(6) 截流流量 9 010 m^3/s，施工导流最大洪峰流量 79 000 m^3/s，是施工期流量最大的水利工程。

(7) 泄洪闸最大泄洪能力 10.25 万 m^3/s，是世界上泄洪能力最大的泄洪闸。

(8) 三峡工程的双线五级船闸，总水头 113 m，是世界上级数最多、总水头最高的内河船闸。

(9) 升船机有效尺寸为 120 m×18 m×3.5 m，最大升程 113 m，船箱带水重量达 11 800 t，过船吨位 3 000 t，是世界上规模最大、难度最高的升船机。

(10) 水库动态移民最终可达 113 万人，是世界上水库移民最多、工作最艰巨的移民建设工程。

三峡工程防洪、发电和航运效益十分显著。在防洪方面，可有效控制长江上游洪水，对中下游平原区，特别是对荆江地区，可使荆江河段防洪标准由原来 10 年一遇提高到 100 年一遇；遇 1 000 年一遇或更大洪水时，配合荆江分洪等工程，可防止荆江河段发生干堤溃决的毁灭性灾害；还可大大提高长江中下游防洪调度的机动性和可靠性，减轻中下游洪水淹没损失和对武汉市的洪水威胁；可为洞庭湖区的根本治理创造条件。在发电方面，三峡水电站年平均发电量 846.8 亿 kW·h，主要向华东、华中和华南地区供电。在航运方面，可显著改善长江宜昌至重庆长 660 km 的航道，万吨级船队可直达重庆港，航道单向年通过能力可由 1 000 万 t 提高到 5 000万 t；宜昌下游枯水季最小流量可从 3 000 m^3/s 提高到 5 000 m^3/s 以上，从而使长江中下游枯水季航运条件也有较大改善。除此之外，工程还具有水库养殖、旅游、供水灌溉及南水北调（中线）远期加大供水等巨大综合效益。

三峡工程双线五级船闸

15. 响洪甸水电站

——建国以来首座自行设计的混凝土重力拱坝

响洪甸水电站位于淮河支流西淠河上游，在六安市裕安区、霍山和金寨三县区交界处，距六安 44 km、合肥市 120 km，是一座以防洪、灌溉为主，结合发电、航运、水产养殖和旅游等综合利用的大型水利水电枢纽工程。

大坝始建于 1956 年 4 月，1958 年 7 月竣工。1961 年全部竣工并发电。坝体混凝土工程量约 28 万 m^3。

坝址控制流域面积 1 400 km^2，多年平均径流量 10.2 亿 m^3，水库总库容 26.32 亿 m^3，居皖西五大水库之首。设计灌溉面积 33.3 万 hm^2。

枢纽组成建筑物有混凝土重力拱坝、泄洪隧洞、发电引水隧洞、电站厂房和缆道吊运竹木过坝设施等。

响洪甸水电站全景

响洪甸大坝为定圆心、单曲率混凝土重力拱坝，是新中国成立后自行设计、施工的第一座重力拱坝，坝高 87.5 m，坝顶弧长 361 m，坝顶厚 6 m，坝底厚 39 m。坝体应力采用试载法计算，用 1∶100 的模型试验验证。最大压应力为 2.94 MPa，最大拉应力为 0.735 MPa。1983 年采用三维有限元法

进行抗震分析，最大拉应力为 1.57 MPa。

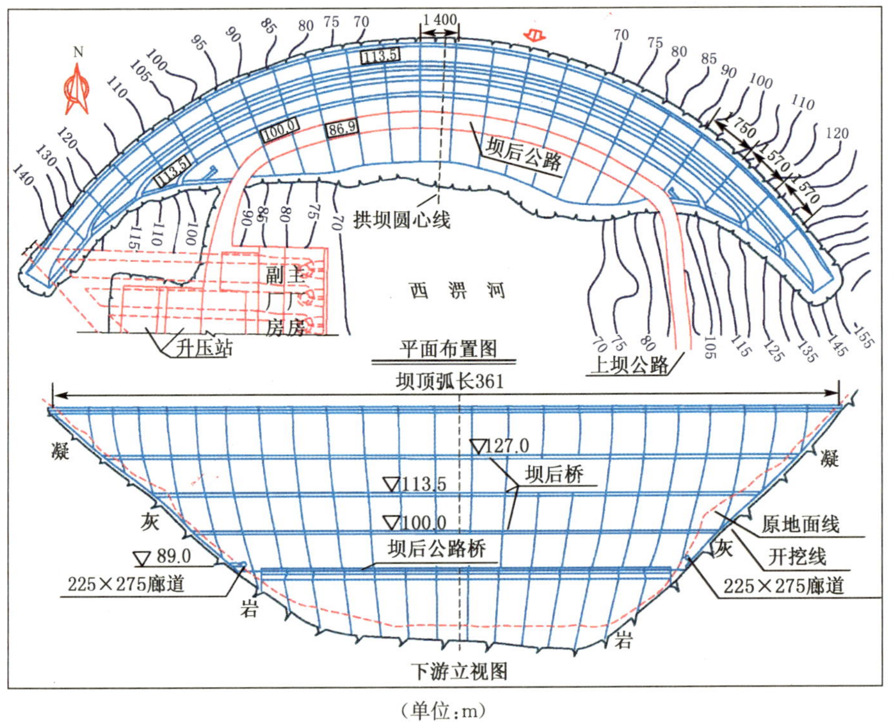

（单位：m）

响洪甸枢纽平面布置及下游立视图

泄洪隧洞 1 条，位于右岸，布置在引水发电洞下游侧。电站位于右岸，由 1 条主洞接 4 条支洞引水发电。厂房采用地面式布置，安装 4 台 10 MW 机组。第一台机组 1959 年 9 月 15 日开始发电，1961 年 4 月 6 日 4 台机组全部投入运行。

为提高响洪甸水电站的综合发电及蓄洪抗旱能力，1994 年 12 月 16 日，由安徽省电力公司和安徽省能源投资公司共同投资的全省首家抽水蓄能电站——响洪甸混合式抽水蓄能电站开工建设，2000 年 6 月竣工。装机容量 2×40 MW，与响洪甸水电站组成总装机量为 120 MW 的混合式抽水蓄能电站，为安徽电网提供调峰填谷容量 228 MW。

16. 白山水电站

——中国地下厂房断面最大的水电站

白山水电站位于吉林省桦甸市境内第二松花江上游干流上，下距红石水电站 39 km，距丰满水电站 250 km。它是东北地区最大的水电站，处于东北电力系统南北网的中部，主要担负系统调峰、调频和事故备用任务。与下游丰满水电站联合运行，可增加后者保证出力 19 MW、年发电量 0.46 亿 kW · h。

工程于 1958 年开工，1961 年停建，1971 年筹备复建，分两期进行，1984 年一期工程 3 台机组发电，1992 年二期工程 2 台机组全部投产发电。

坝址控制流域面积 1.9 万 km^2，年径流量 74 亿 m^3，年输沙量 105 万 t。水库正常蓄水位 413 m，总库容 67.66 亿 m^3，具有多年调节性能。通过水库调度，当遇小于 100 年一遇洪水时，可使丰满水库下泄流量减少 500～1 000 m^3/s，减轻下游洪水灾害。

白山大坝为三心圆重力拱坝，最大坝高 149.5 m，坝顶弧长 676.5 m。大坝按 500 年一遇洪水设计，5 000 年一遇洪水校核，最大可能洪水保坝。洪水全部由坝身宣泄，泄洪设施由 4 个溢流表孔和 3 个中孔间隔布置组成。溢流表孔最大泄流量 8 880 m^3/s，中孔最大泄流量 4 110 m^3/s。表

白山水电站全景

孔、中孔均采用鼻坎挑流消能，每个挑坎采用不同的挑角和平面扩散角，以形成挑流水舌相互穿射、横向扩散、纵向分层的三维综合分散消能，满足下游限定的冲刷与淤积要求。白山水电站总装机容量1 500 MW，分两期实施，第 1 期装机 900 MW，第 2 期装机 600 MW，保证出力 167 MW，多年平均年发电量 20.37 亿 kW·h。右岸一期地下厂房位于坝下游 90 m 处的山体中，长 121.5 m，宽 25 m，高 54.25 m，是中国地下厂房断面最大的水电站，厂内安装 3 台混流式水轮发电机组，单机容量 300 MW，额定水头 112 m，主变压器及开关站均布置在地下，调压井采用圆筒式。左岸二期岸边地面式厂房，内装 2 台与右岸相同的水轮发电机组，地面开关站布置在厂房左侧。电站最大水头 126 m，设计水头 110 m，最小水头 86 m。

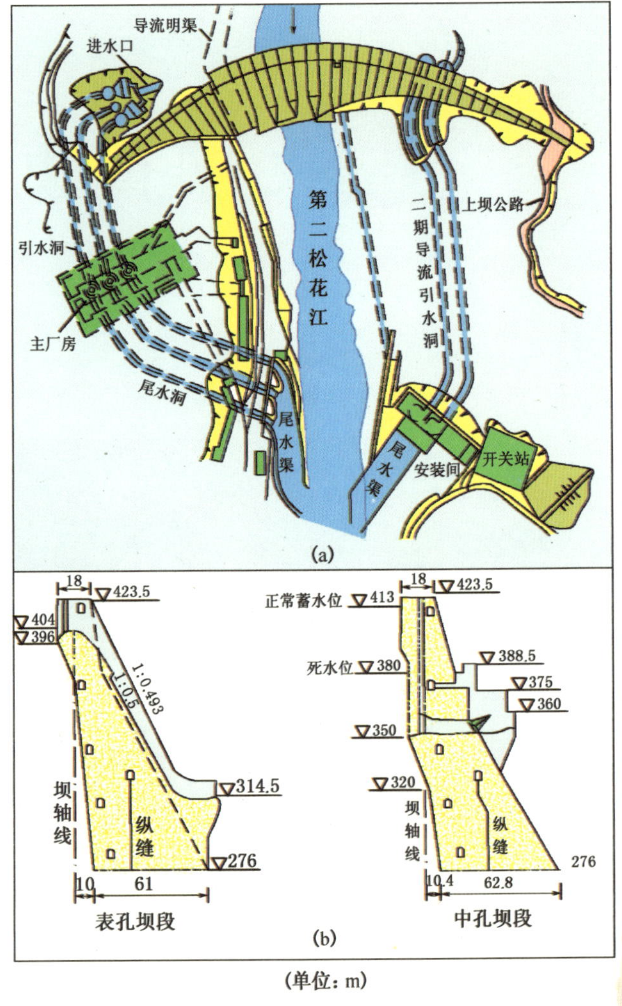

(单位：m)

白山水电站平面布置与溢流坝剖面图

电站施工中部分构件的浇筑采用滑模施工技术，对部分压力引水隧洞混凝土衬砌采用拉模施工工艺及素混凝土预应力衬砌结构。

17. 群英砌石重力拱坝

——世界上最高的砌石重力拱坝

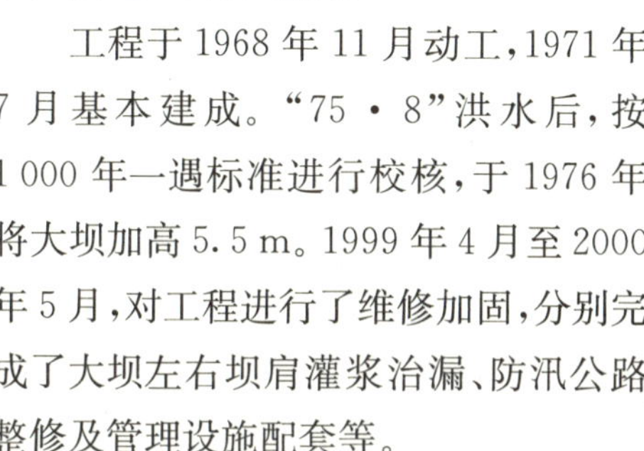

群英大坝全景

群英砌石重力拱坝位于河南省焦作市西北修武县大河坡村北 500 m 处卫河支流大沙河上，坝下游 28 km 处有焦枝铁路和新济公路。工程以灌溉、供水为主，兼有防洪、发电和养鱼等效益。

工程由大坝、输水洞和溢洪道 3 部分组成。

工程于 1968 年 11 月动工，1971 年 7 月基本建成。“75 · 8”洪水后，按 1 000 年一遇标准进行校核，于 1976 年将大坝加高 5.5 m。1999 年 4 月至 2000 年 5 月，对工程进行了维修加固，分别完成了大坝左右坝肩灌浆治漏、防汛公路整修及管理设施配套等。

坝址控制流域面积 165 km^2。多年平均降雨量 650 mm，水库设计洪水位 481.75 m，校核洪水位 485.2 m，水库总库容 1 660 万 m^3，兴利库容 1 270 万 m^3，

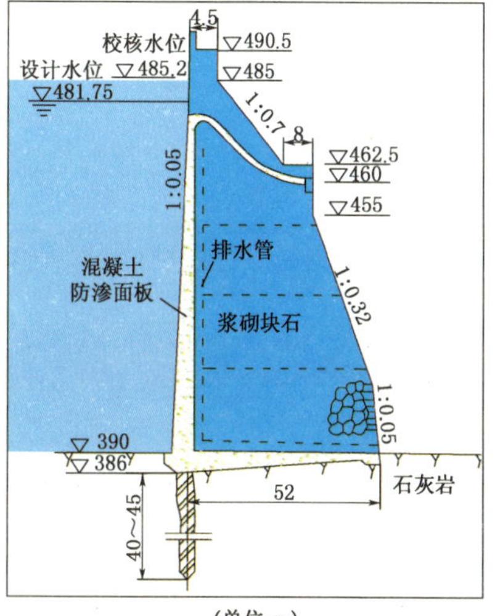
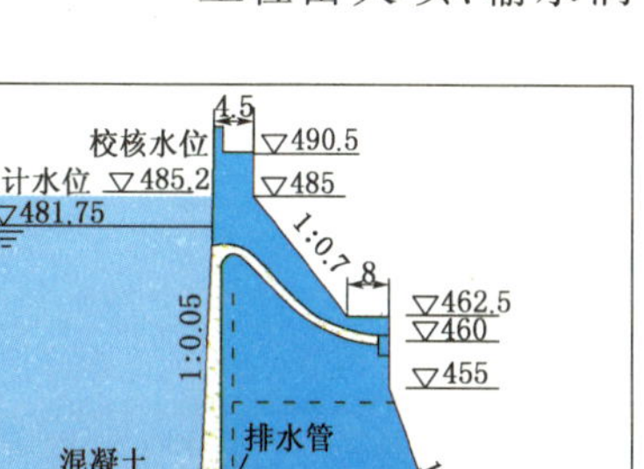

群英砌石重力拱坝剖面图

群英大坝

设计灌溉面积 0.4 万 hm^2，设计日供水量 4.8 万 m^3。电站原设计装机1 MW，后改造为 0.75 MW。

群英砌石重力拱坝坝址处山岭陡峻，河谷成 V 形，河床宽度为 27 m，地形基本对称，岩石较完整平缓。大坝为定圆心变半径浆砌石重力拱坝，坝顶弧长 154.28 m，坝顶中心角 80°，外半径 110.5 m，大坝坝顶高程 490.5 m，最大坝高 101 m，坝顶厚 4.5 m，坝底厚 52 m，厚高比为 0.52，为世界同类型第一高坝。坝体上游面设混凝土防渗体，基础帷幕灌浆深度 40～50 m。大坝按 50 年一遇洪水设计，按 1 000 年一遇洪水校核。坝顶设 7 孔 8 m 宽的溢流堰，溢流段总长 65 m，采用挑流消能，最大泄量为 2 480 m^3/s。输水洞分上、下两级，均设在左岸，高程分别为 412 m 和 445 m，内径各为 1.0 m 和 0.8 m，出口设闸阀控制。

群英湖

18. 德基水电站

——中国台湾最高的双曲拱坝

德基水电站位于中国台湾省，是大甲溪电力开发与公共供水的枢纽工程。

工程于1969年8月开工，1973年12月水库蓄水，1974年6月开始发电，1974年9月竣工。

坝址控制流域面积344 km²，多年平均流量31 m³/s。正常蓄水位1 408.0 m，总库容2.32亿m³，调节库容为1.75亿m³。

拦河坝为混凝土双曲薄拱坝，坝高180 m，是中国台湾省最高的双曲拱坝，坝顶弧长290 m。大坝坝顶设5个表孔泄洪，用弧形闸门控制，总泄量为1 400 m³/s。坝身设两条排沙管，用平板闸门控制，泄量为1 600 m³/s。为调节或紧急泄放库水供下游所用，在坝身不同高程处还设置两条直径1.6 m的放水管，用锥形阀控制。在左岸还有一条龙抬头式泄洪洞，长约690 m，断面为马蹄形，进口为圆弧喇叭形，泄量为3 200 m³/s。以上泄洪设施可满足泄放设计洪水流量6 400 m³/s的需要。

德基拱坝

发电站进水口设于大坝左岸靠近坝座处，包括拦污栅、取水闸门、闸门维护室及启闭机房等。发电厂房设于左岸地下，长74.9 m，宽17.5 m，高37.6 m，安装3台单机容量为78 MW的机组，总装机容量234 MW，多年平均发电量

4.73 亿 kW·h。控制室及开关站布置在 1 460 m 高程的平台上，约 200 m 高的竖井通向地下厂房，用于出线、电梯和通风。

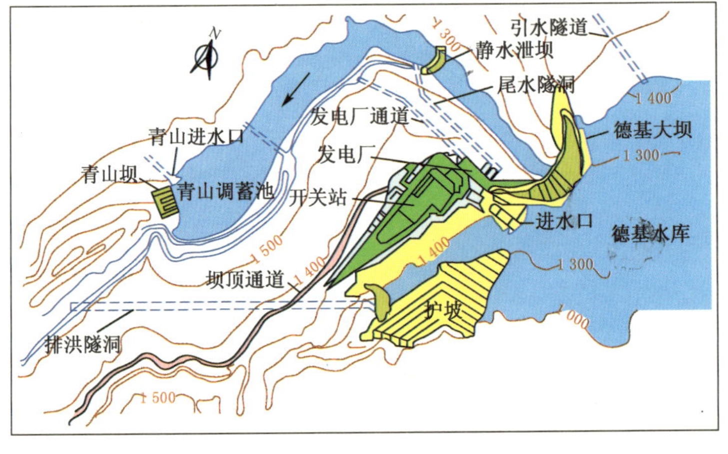

德基水电站工程平面布置图

德基拱坝基岩以石英砂岩与粘板岩互层为主，左岸有数条大致平行于河谷方向的剪切带互相交错，形成一弱面。两岸基岩都有卸荷裂隙存在，最大缝宽达 0.5 m，垂直深度可达 40～50 m，水平长度约 20～70 m。大坝轴线布置尽量避开这种弱面及卸荷裂隙，而建基于较宽厚的新鲜砂岩上。大坝设有基座块及周边缝，在坝体承受水压时，可使坝体发生微量位移而自行调整坝体内的应力分布。设计以应力分析和结构模型试验成果为主要依据，坝体应力分析考虑静态和动态两种情况，在坝体拉应力超过容许拉应力的各部位，布设钢筋或钢轨。在周边缝处和孔口处均布设钢筋，予以加强。

19. 乌江渡水电站

——中国喀斯特地区最高的重力拱坝

乌江渡水电站位于贵州省遵义市长江支流的乌江中游，是乌江水能资源开发的第1座大型工程，也是贵州电网中的主要电站，除供给贵州省工农业用电外，还向重庆送电，对电网起调峰作用。

工程于1970年开始施工准备，1979年第1台机组发电（其间曾停工2年），1983年竣工。

坝址控制流域面积2.78万km^2，年径流量158亿m^3。水库正常蓄水位760 m，总库容23亿m^3。大坝按500年一遇洪水设计，按5 000年一遇洪水校核。

工程由混凝土重力拱坝、坝面溢洪道、发电厂房及开关站、左右岸泄洪隧洞、坝身左右侧排沙泄洪中孔、右岸放空隧洞和升船机等组成。

乌江渡重力拱坝最大坝高165 m，坝顶高程765 m，坝顶弧长395 m。坝面溢洪道共6孔，中间4孔采用厂房顶挑流方式，左、右边孔为滑雪道式挑流方式。左、右岸泄洪洞进口分别位于16号和3号坝段，孔口宽9 m、高10 m，设有弧形工作门。

乌江渡水电站全景

电站主厂房布置在坝后，采用全封闭式结构，安装3台单机容量210 MW的水轮发电机组，保证出力202 MW，多年平均年发电量33.4亿kW·h。副厂房位于主厂房上游

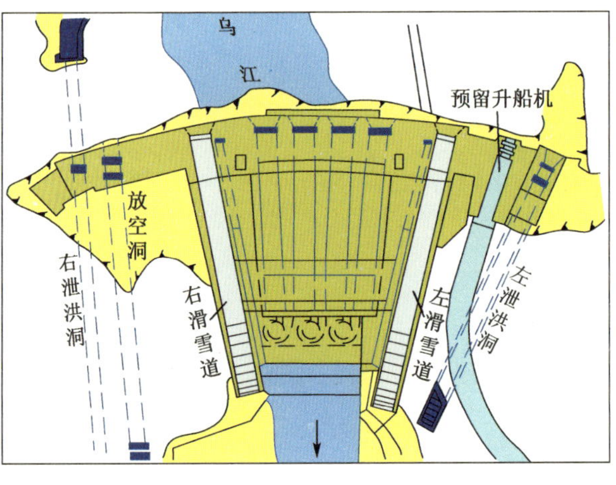

乌江渡水电站平面图

侧溢流面下部空腔内。

乌江渡重力拱坝是中国在喀斯特地区兴建的第1座高坝，坝址位于三迭系玉龙山石灰岩地层，喀斯特发育，坝下游不远处为九级滩页岩地层。坝基采用高压水泥灌浆帷幕防渗，与上游砂页岩隔水层相连接，解决了水库渗漏问题。防渗帷幕线路总长 1 020 m，最深处达河床以下 200 m，帷幕总面积 18.9 万 m^2，最大灌浆压力 6 MPa，左、右分别设 4 层和 5 层灌浆隧洞。由于河谷狭窄，泄洪流量大，坝面溢洪道、主厂房、副厂房和开关站在立面上重叠布置，泄洪设施采用 4 个溢流表孔、2 个中孔、两侧各 1 孔滑雪道式溢洪道及两岸各 1 孔泄洪洞联合泄洪，出口均采用鼻坎挑流消能。4 个表孔采用厂前挑流，泄洪水流越过坝后厂房上方挑向下游。其他各孔、洞的挑流鼻坎布设在不同高程、坝下不同距离处，使泄洪时各挑流的落点纵向拉开、分散，达到分散消能减小冲刷的目的，多年运行证明，效果良好。各泄洪设施单宽流量大、流速高，为避免高速水流引起流道结构空蚀，在流道上采用掺气设施，经原型观测及运行考验，掺气防蚀作用良好。混凝土工程采用年生产能力达 200 万 t 的人工骨料系统，解决了当地天然砂石料缺乏的问题。

20. 龙羊峡水电站

——中国 20 世纪已建库容最大的水电站

龙羊峡水电站位于青海省共和县与贵德县交界处的黄河干流上，距西宁市 147 km，是黄河上游龙羊峡至青铜峡梯级水电站中的最上一级，有“龙头电站”之称。工程以发电为主，兼有灌溉、供水、防洪和防凌等综合效益。

龙羊峡水电站

工程于 1978 年 7 月开工，1979 年 12 月截流，1986 年 10 月开始蓄水，1987 年 9 月底第 1 台机组发电，1992 年全部机组投入运行。

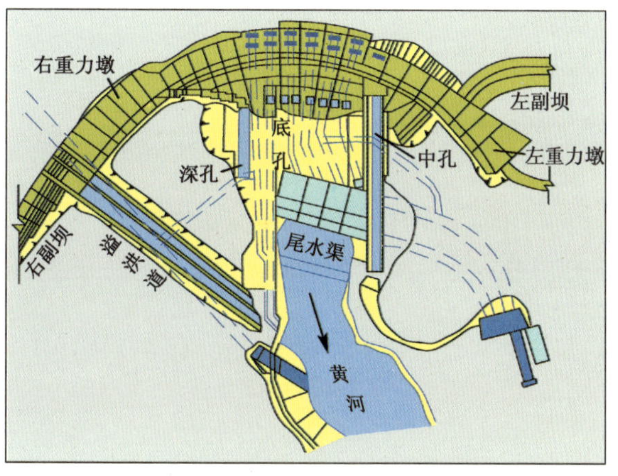

龙羊峡水电站平面布置图

坝址控制流域面积 13.14 万 km^2，年径流量 205 亿 m^3，多年平均输沙量 2 490 t。水库正常蓄水位 2 600 m，库容 247 亿 m^3，是中国 20 世纪所建水库库容最大的水库，具有多年调节性能。

工程由混凝土重力拱

坝、左右岸重力墩、左右岸混凝土重力式副坝、右岸溢洪道、坝后厂房等组成。

主坝为混凝土重力拱坝，坝顶高程 2 610 m，最大坝高 178 m。泄水建筑物有右岸两孔溢洪道，每孔宽 12 m，最大泄流量 4 493 m^3/s；坝身中孔、深孔、底孔最大泄流量分别为 2 203 m^3/s、1 340 m^3/s 和 1 498 m^3/s。坝后厂房装有 4 台 320 MW 混流式水轮发电机组，额定水头 120 m，保证出力 589 MW，多年平均年发电量 59.42 亿 kW·h。

电站投产后，综合效益十分明显，可增加下游梯级水电站的保证出力和电量，仅刘家峡、盐锅峡、八盘峡和青铜峡 4 座水电站就可增加保证出力 254.8 万 kW、年发电量 5.13 亿 kW·h；可提高整个河段的电能质量，使平水年、枯水年和一般年份的洪水期、枯水期的电量基本一样；可增加青、甘、宁、内蒙古等省(自治区)的灌溉面积 31.53 万 hm^2 和提高下游灌区的灌溉保证率；可增加下游沿河城镇工业用水量，提高下游重要工业城市、梯级水电站及铁路干线的防洪标准。

龙羊峡水电站代表着 20 世纪 80 年代国内水电工程建设的水平，当时不仅以大坝最高(178 m)、水库库容最大(247 亿 m^3)、发电机组单机容量最大(320 MW)享誉海内外，而且以显著的社会效益、经济效益及治理黄河的“龙头”地位和开发黄河上游水电资源母体电站的独特优势令世人瞩目。

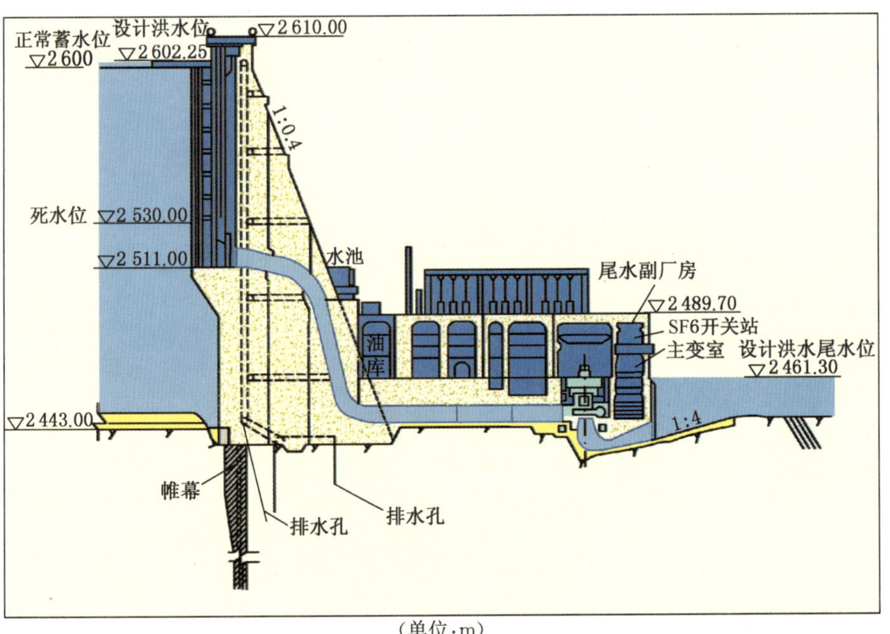

(单位:m)

龙羊峡水电站大坝、厂房剖面图

21. 凤滩水电站

——世界最高的混凝土空腹重力拱坝

凤滩水电站位于湖南省沅陵县境内长江水系沅江支流的酉水下游，为坝式水电站，1978 年建成投产。工程以发电为主，兼有防洪、航运和灌溉等综合效益。

坝址以上流域面积 1.75 万 km^2，年径流量 159 亿 m^3。水库正常蓄水位 205 m，总库容 17.33 亿 m^3，调节库容 3.3 亿 m^3，具有季调节性能。通过水库调节，可减轻下游洪水灾害，灌溉下游农田 4 400 hm^2，改善水库上下游的航运条件，也可为库区养殖业发展提供有利条件。

工程由混凝土拦河坝、泄水建筑物、厂房和筏道组成。

为适应坝址河谷狭窄、洪水流量大、坝址地质条件复杂等具体情况，工程采用了混凝土空腹重力拱坝、坝顶溢流、空腹内设置厂房的特殊布置方式。凤滩空腹重力拱坝最大坝高 110 m，是当时世界上最高的空腹坝。空腹总长 255.8 m，最大空腹高 40.1 m、宽 28.7 m，整个空腹容积 18.4 万 m^3。拱冠左侧的空腹中布置有主厂房、安装场；在右空腹中布置有 220 kV 的开关站。

凤滩水电站全景

泄水建筑物由 13 个溢流表孔和 1 个放空泄洪底孔组成。溢

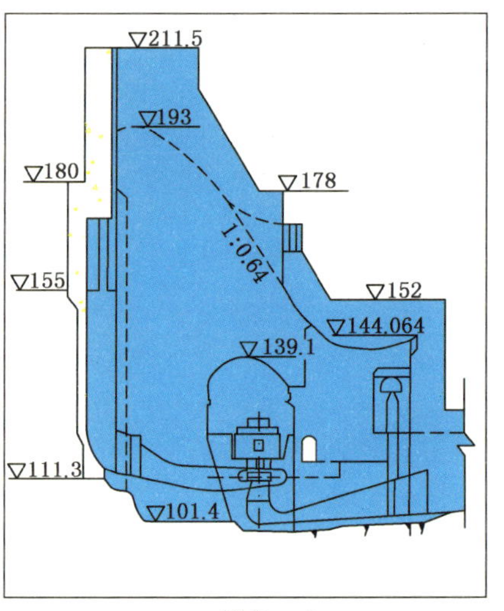

(单位：m)

空腹内厂房布置示意图

流坝段弧长 255 m，向心角约 61°，每个溢流孔净宽 14 m，采用相间的高低鼻坎挑流消能，计 7 个低鼻坎和 6 个高鼻坎。这种高低坎挑流空中碰撞，可消去下泄水流 50%的能量，减少了下游河床的冲刷深度，经水工模型试验和 10 余年运行实践证明，消能防冲效果良好。溢流坝段右侧设放空泄洪底孔 1 个，最大泄量 1 236 m^3/s。

电站厂房内装有 4 台 100 MW 混流式水轮发电机组，额定水头 73 m，保证出力 103 MW，多年平均年发电量 20.43 亿 kW·h。

过坝船筏道采用垂直加斜面升船机，可通过 50 t 级船只。

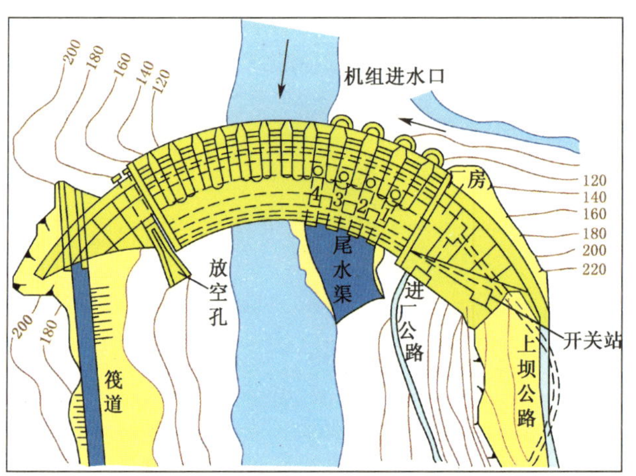

凤滩水电站平面布置图

22. 隔河岩水利枢纽

——中国首座上重下拱复合型大坝

隔河岩水利枢纽全景

隔河岩水利枢纽位于湖北长阳县境内长江支流清江干流上，上距恩施市207 km，下距高坝洲水电站50 km。工程开发任务以发电为主，兼有防洪、航运等综合效益。

工程于1987年初开工兴建，1993年6月第1台机组发电，1994年11月4台机组全部并网发电，1994年底基本建成，1997年枢纽工程通过竣工验收，工程运行情况良好。

坝址控制流域面积14 430 km^2，占全流域面积的85%，多年平均流量403 m^3/s，年径流量126亿m^3，多年平均输沙量971万t。枢纽主要水工建筑物设计洪水标准为1 000年一遇洪水，洪峰流量22 800 m^3/s，相应库水位203.14 m；校核洪水标准为10 000年一遇，洪峰流量27 800 m^3/s，相应库水位204.59 m。水库正常蓄水位200 m，相应库容31.2亿m^3，死水位160 m，兴利库容19.75亿m^3。水库总库容34.4亿m^3，预留防洪库容5亿m^3，既可削减清江下游洪峰，也可错开与长江洪峰的遭遇，减少荆江分洪工程的使用机会和推迟分洪时间。

坝址处两岸山顶高程500 m左右，枯水期河面宽110～120 m，河谷下部50～60 m，岸坡陡立，河谷上部右陡左缓，为不对称峡谷。大坝基础地层为寒武系石龙洞灰岩，岩性致密坚硬，基岩内断层、层间剪切带及岩溶系统等较发育。坝区地震基本烈度为Ⅵ度，设计烈度为Ⅶ度。

水电站装机容量1 200 MW，保证出力187 MW，多年平均年发电量30.4亿kW·h，并且承担华中电网的调频、调峰任务。

枢纽工程由混凝土重力拱坝、泄水建筑物、右岸引水式水电站和左岸垂直升船机组成。坝顶高程 206 m,坝顶全长 665.45 m,最大坝高 151 m。两岸布置重力坝段,左岸坝肩高程 120～138 m 的建基面上设置重力墩;河床为三心单曲、上重下拱复合重力拱坝,外圆弧半径 312 m,下游坝坡 1∶0.5～1∶0.7。河床中部拱顶高程 181 m,向两岸逐渐下降,左岸至重力墩顶 150 m,右岸至岸边 160 m,拱顶以下横缝灌浆,形成不同灌浆高程的拱坝,拱顶以上横缝不灌浆,呈重力坝工作状态,下游坝坡 1∶0.7,两者之间设过渡段衔接。对于影响两岸拱座稳定的软弱结构面,采用阻滑键、传力柱及加强山体排水等措施处理。

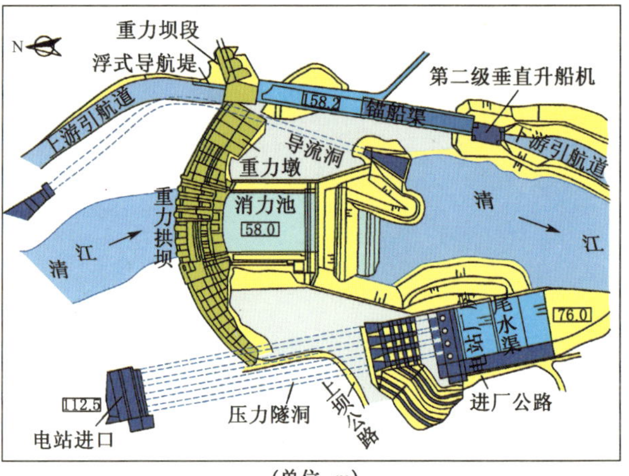

(单位:m)

隔河岩水利枢纽平面布置图

泄水建筑物集中布置在大坝的河床中部,溢流前缘长度 188 m。设 7 个表孔、4 个深孔和两个兼作导流的放空底孔。表孔堰顶高程 181.8 m,孔口尺寸为 12 m×18.2 m。深孔孔底高程 134 m,孔口尺寸为 4.5 m×6.5 m。底孔孔底高程 95 m,孔口尺寸为 4.5 m×6.5 m。各式孔口均采用弧形闸门控制操作,并且在其上游设平板检修闸门。表孔体型采用不对称宽尾墩,深孔体型采用窄缝挑流鼻坎。表孔在设计和校核条件下的泄洪能力分别为 17 050 m^3/s 和 19 000 m^3/s。枢纽最大泄流能力为 24 000 m^3/s。防渗帷幕线路长 1.5 km,总进尺 25.17 万 m。

水电站位于右岸,引水式地面厂房,4 条直径为 9.5 m 的隧洞连接直径 8 m 的压力钢管,单洞单机分别接至 4 台 300 MW 的混流式水轮机组。隧洞采用预应力混凝土衬砌。厂房和压力钢管开挖形成 170 m 的高边坡,采用混凝土局部置换、设置预应力锚束及加强山体排水等措施处理。

通航建筑物位于左岸,是中国第一座高升程 300 t 级过坝的垂直升船机。设计最大年货运量为 340 万 t,总升程 124 m。工程分为两级:第一级为大坝挡水前缘的一部分,升程 42 m;第二级位于左岸下游河滩,升程 82 m,与中间错船渠和下游河道相衔接。升船机采用全平衡钢丝绳卷扬系统,承船厢有效水域尺寸 42 m×10.2 m×1.7 m,带水总重 1 400 t。

23. 二滩水电站

——中国当今最高的拱坝

二滩水电站位于四川省金沙江支流雅砻江的下游河段上，距攀枝花市46 km，是雅砻江由河口上溯的第2个梯级电站。工程以发电为主，兼有其他综合利用效益。

二滩水电站于1987年列入国家计划，由中央和地方合资建设，部分建设资金利用世界银行贷款。1991年9月主体工程正式开工，1998年8月电站正式并网发电，2000年11月通过了工程竣工验收。

坝址控制流域面积11.64万 km^2，多年径流量527亿 m^3。水库正常蓄水位1 200 m，总库容58亿 m^3，调节库容为33.7亿 m^3，属季调节水库。枢纽主要水工建筑物按1 000年一遇洪水设计，按5 000年一遇洪水校核。

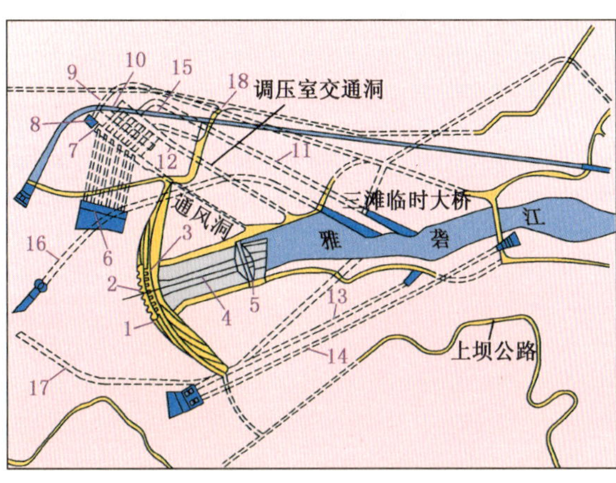

二滩水电站枢纽平面布置图

1—拱坝；2—表孔溢洪道；3—中孔；4—水垫塘；5—二道坝；6—电站进水口；7—厂房；8—安装间；9—主变压器室；10—尾水调压室；11—1号尾水洞；12—2号尾水洞；13—1号泄洪洞；14—2号泄洪洞；15—过木机道；16—左岸导流隧洞；17—右岸导流隧洞；18—500 kV 开关站

挡水建筑物为混凝土双曲拱坝，最大坝高240 m，居20世纪末世界已建同类坝型的第3位。泄水建筑物由设置在拱坝坝身的表孔、中孔、底孔和右岸泄洪洞组成。电站总装机容量3 300 MW，保证出力1 000 MW，多年平均年发电量170亿kW·h，是中国20世纪建成的最

大水电站。

枢纽工程由挡水、泄水、引水发电系统以及过木道等建筑物组成。

在工程勘测设计工作中，针对工程的关键技术问题，开展了大量的科学研究工作。特别是在1985—1990年，开展了“高混凝土坝计算方法和设计原则”、“高混凝土坝岩体稳定性评价及可利用岩体质量研究”、“高混凝土坝泄洪消能的研究”等专题的国家重点科技攻关，不仅使工程设计方案得到了进一步的优化，而且提高了中国高混凝土坝的设计和科研水平。在建设过程中，工程质量、进度和投资均得到了有效的控制。在围堰防渗墙、基础处理工艺、大坝混凝土系统、地下结构开挖与支护、大型水轮发电机组的制造与安装、计算机在线实时监控等方面，全面采用了国际上的先进技术。例如，施工中使用两座意大利CIFA公司生产的4×4.5 m^3混凝土搅拌楼，每座生产能力360 m^3/h；采用3台30 t辐射式缆机进行混凝土浇筑；在地下工程的大洞室、高边墙施工中，由于高地应力及可能发生岩爆问题，采用了大量175 t级预应力锚索及喷钢纤维混凝土。

二滩水电站全景

工程投入运行后，在1998年的长江流域抗洪过程中，水库参与了调洪削峰。经过一系列的结构和水力学原型观测和分析，主要建筑物均处于良好的工作状态。

24. 普定水电站

——中国首座碾压混凝土拱坝

普定水电站位于乌江南源三岔河中游贵州省普定县境内，距贵阳市 125 km。工程以发电为主，兼有供水、灌溉、养殖和旅游等综合效益。

普定水电站全景

工程于 1989 年 12 月 15 日截流，1991 年 12 月开始浇筑混凝土，1993 年 5 月 30 日大坝建成蓄水，1994 年 6 月并网发电。

坝址控制流域面积 5 871 km^2，年径流量 38.8 亿 m^3。河谷呈不对称 U 形，大坝建基面为灰岩。工程区地震基本烈度小于Ⅵ度，设计按Ⅵ度设防。水库正常蓄水位 1 145 m，总库容 4.21 亿 m^3。枢纽主要水工建筑物设计洪水标准为 100 年一遇，校核洪水标准为 500 年一遇。

工程由碾压混凝土拱坝、坝顶开敞式溢洪道、冲沙孔、河岸式电站厂房组成。

普定碾压混凝土拱坝为双曲非对称拱坝，坝顶高程 1 150 m，坝高 75 m，坝顶总长 195.67 m。坝体混凝土总量 13.7 万 m^3，其中碾压混凝土 10.3 万 m^3，占坝体混凝土总量的 75.2%。水电站安装 3 台水轮发电机组，总装机容

量为 75 MW，年发电量 3.4 亿 kW·h。

普定拱坝是中国第一座应用全断面碾压技术施工的碾压混凝土拱坝，工程的主要特点：

(1) 坝体不设施工缝，采用整体、薄层、通仓、全断面碾压填筑，革新了常态混凝土拱坝分缝、分块、柱状浇筑的传统施工工艺。

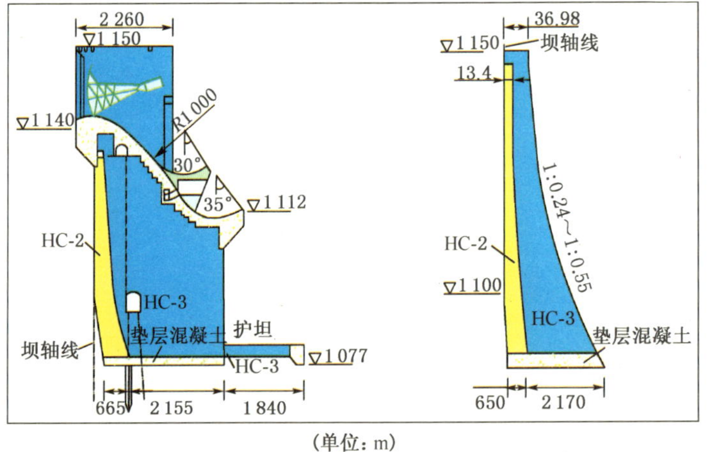

(单位：m)

普定碾压混凝土拱坝溢流坝段剖面图和拱冠梁剖面图

HC-2—二级配碾压混凝土；HC-3—三级配碾压混凝土

(2) 在坝体适当部位设置了诱导缝，并且在缝中设置了重复灌浆系统，在温度应力超过坝体混凝土抗拉强度的情况下，先从诱导缝部位拉开，以便灌浆处理。

(3) 坝体采用碾压混凝土自身防渗。为了提高坝体碾压混凝土的整体防渗性能，防止沿碾压层面水平渗漏，在每一碾压层面采取了专门处理措施，增加了层面结合强度，使坝体碾压混凝土抗渗性能达到了 W10 以上。

(4) 通过高掺粉煤灰和降低水泥用量，有效地控制了坝体混凝土温度应力，提高了坝体的抗裂性能。

25. 沙牌水电站

——世界最高的碾压混凝土拱坝

沙牌水电站位于中国四川省汶川县境内岷江一级支流草坡河上，坝址距成都市约 136 km。工程以发电为主要目标，担负系统调峰任务。

枢纽主要建筑物有碾压混凝土拱坝、泄洪洞、引水隧洞及发电厂房等。

坝址处于四川盆地西北部边缘，河谷狭窄，大致呈对称 V 形，下游左、右岸为凹形坡和条形山脊。坝基岩石完整性较好，河床覆盖层厚 30～40 m。地震基本烈度为Ⅶ度。正常蓄水位为 1 866 m，死水位为 1 825 m，总库容 0.18 亿 m^3，具有季调节性能。

大坝采用三心圆单曲拱坝，坝高 130 m，为 20 世纪末世界在建最高的碾压混凝土拱坝。坝体不设泄洪孔口，在右岸设两条泄洪隧洞。总装机容量 36 MW，多年平均年发电量 1.78 亿 kW·h。工程于 1997 年 6 月开工，2001 年建成。

沙牌拱坝碾压混凝土共用去 38.3 万 m^3，是中国 1990—2000 年重点科技攻关依托工程，为建设坝高百米级碾压混凝土拱坝积累了设计、科研、施工经验。工程主要特点有：

沙牌碾压混凝土拱坝

（1）选用三心圆单曲拱坝，以利坝肩稳定，使拱推力方向偏向山体内部。垫座高度12.5 m，坝顶中心线弧长 250.25 m，最大中心角 92.48°。

（2）为便于施工，坝体不设泄洪孔口，仅在右岸设两

条泄洪隧洞，一条系导流洞改建的旋涡式竖井泄洪洞，设计水头88 m，设计流量 244 m³/s，洞内消能率在73%以上。

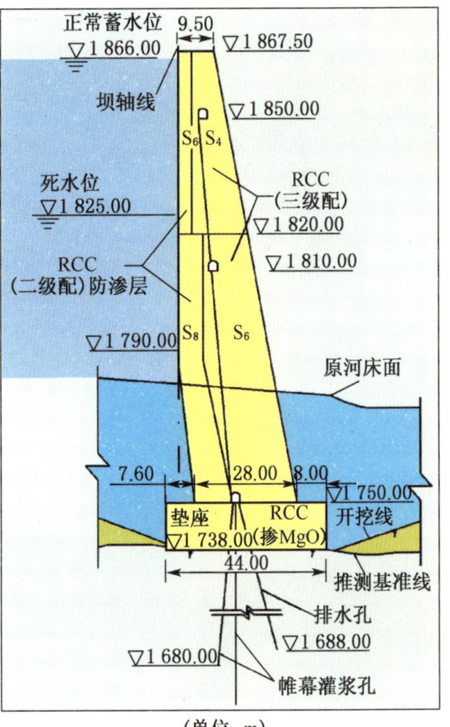

（单位：m）

大坝断面图

(3) 坝体采用了两条诱导缝组合两条常规横缝的结构，并且在高温季节浇筑的坝体部位埋设高密度聚乙烯冷却水管，通水冷却；采用重复灌浆技术，可对张开的诱导缝进行多次重复灌浆。

(4) 坝体利用迎水面富胶凝材料的二级配 C20 碾压混凝土自身防渗，层间铺设净浆。正常蓄水位下设置厚 2 mm 的高分子涂料护面作为辅助防渗。

(5) 通过调整砂率，提高石粉含量，优化配合比，使坝体碾压混凝土具有低弹模、高极限拉伸值的特征。

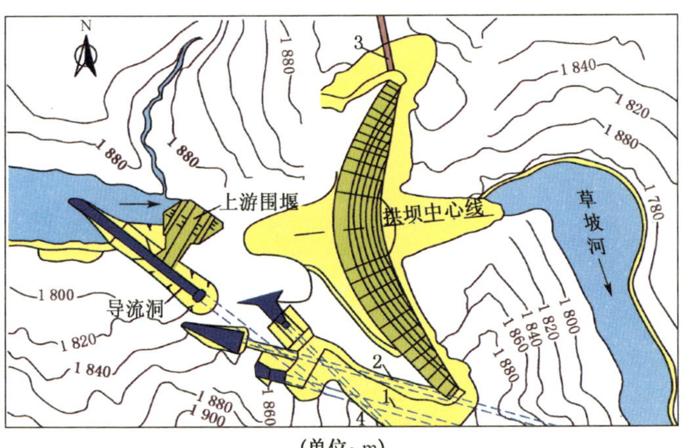

（单位：m）

沙牌碾压混凝土拱坝枢纽平面布置图

1—导流洞；2—泄洪洞；3—公路交通洞；4—引水发电隧洞

26. 锦屏一级水电站

——中国在建最高的混凝土拱坝

锦屏一级水电站位于四川省凉山彝族自治州木里县和盐源县交界处的雅砻江大河湾干流河段上，距河口 358 km，距西昌市直线距离约 75 km，是雅砻江干流下游卡拉至江口河段规划的 5 个梯级电站的龙头电站。工程的开发任务主要是发电，同时具有拦沙、蓄洪作用，也可减轻长江中下游防洪负担。

电站前期勘测设计工作始于 20 世纪 50 年代。可行性研究报告于 2003 年 11 月通过国家发改委审查，2003 年 12 月国务院正式批准立项。2005 年 9 月 8 日，锦屏一级水电站通过国家开工核准。2005 年 11 月 12 日正式开工，计划 2012 年首台机组投产发电，2014 年全部建成。总工期 9 年零 3 个月。电站建成后，将送电四川、重庆和华东地区，其中 50%的电量将送往华东地区。

锦屏一级电站拥有多项世界第一，包括 305 m 的世界第一高拱坝、世界规模最大的水工隧洞等。雅砻江的成功截流比国家批准的截流工期提前两年，创造了中国水电开发史上“开工一年后实现截流”的新纪录。

锦屏一级水电站效果图

电站主要由拦河坝、右岸泄洪洞、右岸引水发电系统及开关站等组成。

水库总库容 77.65 亿 m^3，调节库容 49.1 亿 m^3，属

年调节水库。拦河坝为混凝土双曲拱坝，最大坝高 305 m，为世界在建最高的混凝土拱坝。电站总装机容量 3 600 MW，年均发电量 166.2 亿 kW·h。

锦屏一级水电站淹没损失小，技术经济指标优越。电站除发电外，尚有重大的综合效益，其水库可拦截坝址处 82.6%的悬移质和 100%的推移质，从而减少下游三峡水库的泥沙淤积。电站对长江上游生态屏障建设将起到积极的作用。

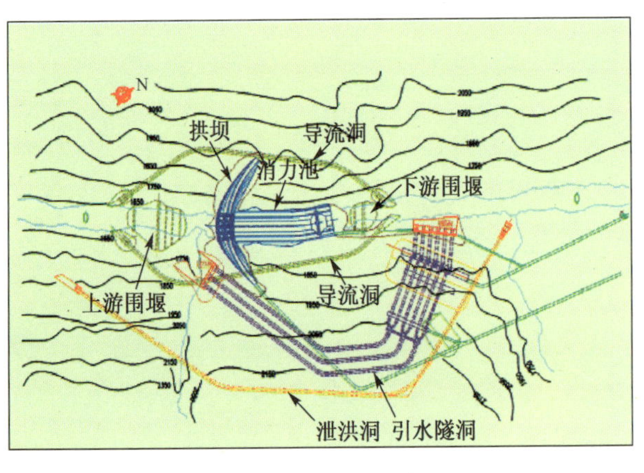

锦屏一级水电站枢纽布置图

锦屏一级水电站地处地质灾害频发的深山峡谷地区，地质条件复杂，工程规模巨大，技术难度高。一级电站施工导流采用全年断流围堰、隧洞导流方案，左右岸各布置一条长度约1 200 m、断面为 15 m×19 m 的导流洞。大坝设计具有“三不对称”特点：坝址地形不对称，地质条件不对称，拱坝体型及应力不对称；施工条件具有“四高一深”特点：高山峡谷、高边坡、高地应力、高压大流量地下水及深部卸荷裂隙。

27. 湖南镇水电站

——中国最高的支墩坝

湖南镇水电站位于浙江省衢州市境内钱塘江支流乌溪江上，下距黄坛口水电站约 25 km，是乌溪江水能资源开发的梯级电站之一，具有发电、防洪、灌溉、航运和供水等综合效益。

湖南镇电站于 1958 年开工，1961 年停建，1970 年复工，1979 年第 1 台机组发电，1980 年电站建成。扩建工程 1994 年 10 月开工，1996 年 11 月 1 日机组投入试运行，后投入正常运行。

坝址控制流域面积 2 197 km^2，多年平均流量 83.4 m^3/s。水库正常蓄水位为 230 m，相应库容为 15.82 亿 m^3，总库容 20.3 亿 m^3，具有不完全多年调节的性能。通过水库调节，与黄坛口水电站联合运行，可增加下游黄坛口水电站的枯水期出力。

枢纽建筑物包括拦河大坝、引水隧洞、引水式地面厂房、坝后厂房和开关站等。拦河坝为混凝土梯形支墩坝，最大坝高 129 m，坝顶全长 440 m，上

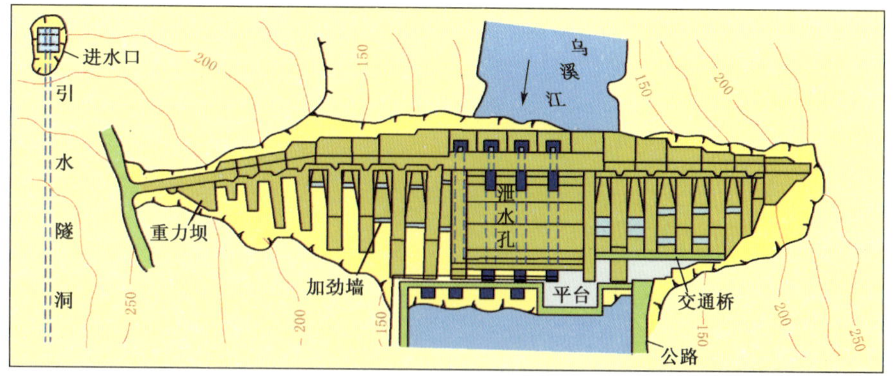

湖南镇水电站平面图

游坝坡 1∶0.2，下游坝坡 1∶0.68，坝顶宽 7 m，坝体头部厚度自下而上逐渐减薄，两支墩间设宽 5 m 的加劲墙。泄洪建筑物布置在河床中部，包括 5 个坝顶溢流表孔和设在溢流坝段支墩内的 4 个泄水底孔，最大泄流量 11 000 m^3/s。

电站总装机容量 270 MW，其中 1980 年建成的右岸老电厂装机容量 170 MW，1996 年利用左岸坝段内预留的 1 条直径 5.4 m 的钢管，扩建了 1 台 100 MW 的机组。电站保证出力 52.1 MW，年发电量 5.4 亿 kW·h。

湖南镇水电站全景

湖南镇水电站的建设，在中国首创采用混凝土梯形坝；首次采用月牙形内加强肋钢岔管；在闸门设计中，首先采用 SF 复合材料，成功研制了进水口闸门上的 SF-3A 型支承滑道，溢洪道弧形闸门上的 SF-2C 型支铰轴套；厂房设计中采用了圈梁立柱式机墩等新技术、新结构。1999 年，湖南镇水电站在扩建工程中，建筑物布置紧凑、合理，采用全封闭厂房结构，成功地解决了大坝泄洪雾化对电厂运行影响的问题；采用水库低温水喷淋后送风通风设计；成功地实现了“无人值班、少人值守”和远方计算机监控操作的目标，机组运行实现了 AGC（自动发电控制运行）等先进技术操控。

28. 佛子岭水电站

——新中国第一坝

佛子岭水电站位于皖西大别山区霍山县境内淮河支流淠河上游，距霍山县城 17 km。大坝坐落在佛子岭镇南 2.5 km 处，故得名。据清光绪三十一年（公元 1906 年）霍山县志记载，此地原称“佛寺岭”，佛子岭即自“佛寺岭”演化而得。它是最早建成的根治淮河的大型水利工程之一，为新中国第一坝。佛子岭水电站始建于 1952 年元月，竣工于 1954 年 9 月。水电站以防洪为主，兼顾灌溉、发电、航运和渔业等综合利用。

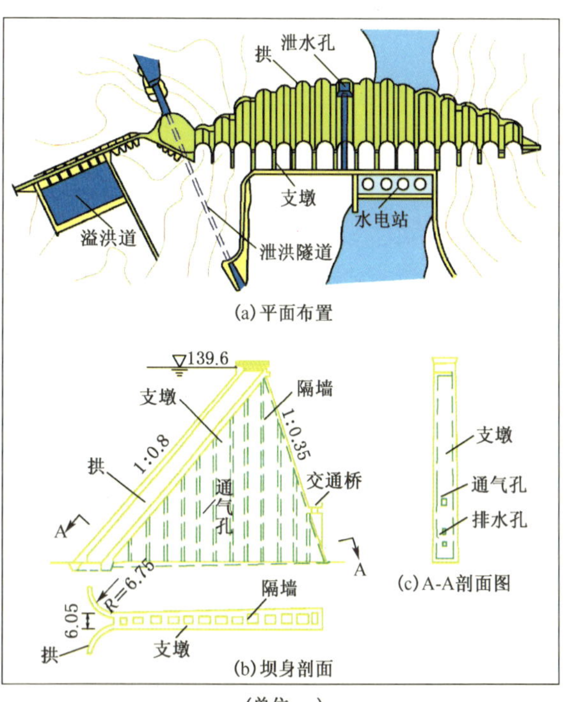

佛子岭水电站平面、剖面图

坝址控制流域面积为 1 840 km，多年平均流量为 49.5 m³/s。枢纽按 100 年一遇洪水设计，1 000 年一遇洪水校核。设计洪水位 129.44 m，校核洪水位 130.84 m，总库容 4.96 亿 m³，汛限水位 117.56 m，兴利水位 124.96 m，相应库容 3.84 亿 m³。枢纽工程包括大坝、溢洪道、输水钢管及发电站 4 部分。

大坝为钢筋混凝土连拱坝，高 74.4 m（加高

后为75.9 m)，坝顶宽1.8 m，长510 m，分为东坝、连拱坝、西坝3段。东坝是重力坝，长52 m；西坝下部是重力坝，上部是平板坝，长45 m；中部连拱坝段长413.5 m，由20个垛、21拱组成。坝顶高程128.46 m，1983年加高至129.96 m(不包括防浪墙1.1 m)。

露顶式溢洪道设在右岸坝肩处，堰顶高程112.56 m，顶宽63.6 m，6孔，单孔宽10.6 m，每孔安装双扉滚轮平板钢闸门，最大泄洪量7 500 m^3/s，百年一遇溢洪流量5 000 m^3/s。

坝内安装9条输水钢管，分设于13、14、15号垛内的3条用于泄洪、灌溉，设计最大泄流量225 m^3/s。其余6道是发电引水管道。灌溉耕地面积20万 hm^2（含磨子潭水库）。会同响洪甸、梅山等水库可灌农田近67万 hm^2。

电站7台装机，分别安装在新、老厂房内，总装机容量31 MW，多年平均年发电量1.24亿kW·h。

河谷底宽约200 m。基岩大部为石英岩和花岗岩，岩性坚硬，无大断层，但裂隙较发育。施工期间及建成后，曾经受地震及洪水漫顶的考验。

佛子岭水库山清水秀，生态环境优美，属于“国家级水利风景区”。库区著名景点“卧佛”、“睡美人”、“狮子岩”和“老鹰洞”等，千姿百态，呼之欲出，令中外游客流连忘返，叹为观止。1958年，朱德、刘伯承等党和国家领导人亲临水库视察。郭沫若、刘海粟等大师分别为佛子岭水库题写门额和碑文，使佛子岭水库闻名于海内外。国际大坝委员会主席托兰先生称佛子岭大坝为“国际一流的防震连拱坝”；列宁格勒水电设计院院长称赞：“连拱坝好，中国工程师了不起！”建库50年来，先后有英国、意大利、法国、越南和朝鲜等24国使者前来参观访问。

佛子岭水电站全景

29. 梅山水电站

——中国最高的混凝土连拱坝

梅山水电站位于鄂、豫、皖三省交界处的大别山腹地淮河支流史河上游，在安徽省金寨县境内，北距史河入淮口 130 km，是一座以防洪、灌溉为主，兼有发电等综合效益的大型水利水电工程，也是我国第一个五年计划期间自行设计和施工的重点工程。

工程于 1954 年 3 月动工兴建，1956 年 1 月大坝主体工程基本竣工，1958 年水库开始蓄水。

梅山水库为多年调节水库，防洪库容 10.65 亿 m^3，设计灌溉面积 25.53 万 hm^2。大坝为钢筋混凝土连拱结构，最大坝高 88.24 m，是国内最高的混凝土连拱坝，由 15 个垛和 16 个拱组成。连拱坝左右两端各接一段重力坝和空腹重力坝，坝轴线总长 443.5 m。电站装机容量 4×1 MW。

梅山水库连拱坝全景

枢纽建筑物包括钢筋混凝土连拱坝、右岸开敞式溢洪道、右岸泄洪隧洞、9 号拱泄水底孔和坝后式电站厂房。

在水库蓄水初期，1962 年 9 月 28 日蓄水至竣工后最高水位 125.56 m，高水位持续至 11 月 6 日凌晨时，右岸坝肩基岩裂隙突然大量漏水，实测漏水总量达 70 L/s，14 号垛基一个未封堵的固结灌浆孔向外喷水，测得压力水头达 31 m，相当于库水位对该处水头的 82%。右岸坝顶及拱、垛多处也出现裂缝，其中 15 号拱冠内侧

产生裂缝由拱顶延伸而下长达 28 m，最大缝宽 6.6 mm。经放空水库检查，发现右岸 13 号垛至 16 号拱台前缘基岩接触面附近长达 100 余米、宽约 30～80 m 范围的基岩局部滑动和张裂，之后采取坝基固结与帷幕灌浆，增设右岸坝垛重力墩、支撑墙、基岩预应力锚固和坝后排水设施等一系列工程措施修复加固，经 1969 年和 1991 年两次大洪水及 40 年运行考验，大坝运行正常。1991—1992 年梅山连拱坝进行首次安全定期检查，确认符合现行规范，被评定为正常坝。

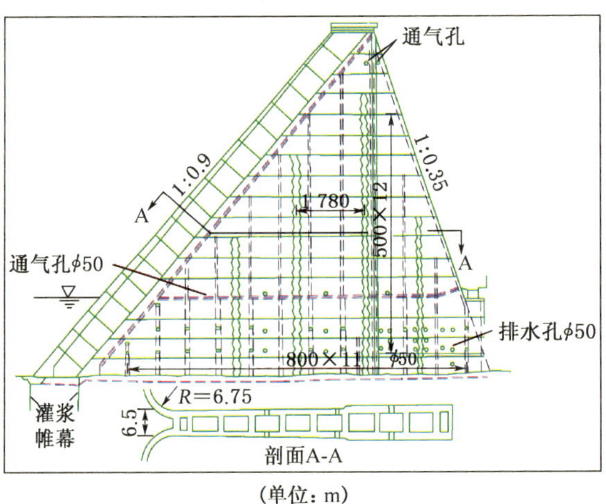

(单位：m)

梅山水库连拱坝标准剖面图(坝高 88.24 m)

梅山水电站建成 50 年来，已发挥了巨大的工程综合效益。在防洪方面，担负着为淮河干流错峰调蓄的重要任务，特别是战胜了 1969 年、1991 年和 2003 年的洪水，保证了下游城镇人民生命财产的安全，为确保淮河安全度汛、减少淮河中游启用行蓄洪区作出了突出的贡献；在灌溉方面，作为淠史杭灌区主要水源，灌溉下游的安徽、河南两省 5 县区 25.5 万 hm^2 农田，使其旱涝保收；在发电方面，是皖西电网的重要电源点，对安徽电网的发展和确保电网安全起着不可替代的作用。各种效益特别是防洪、灌溉和发电三大效益的正常发挥，对安徽省西部地区乃至全省的经济发展和社会稳定起到了十分重要的作用。

30. 以礼河梯级水电站

——中国最早的高水头梯级水电站

以礼河梯级水电站平面布置图

以礼河梯级水电站由毛家村、水槽子、盐水沟及小江4个水电站组成，是20世纪50年代在云南省会泽县兴建的跨流域开发梯级水电站。以礼河梯级水电站以发电为主，毛家村水库兼有灌溉效用。

以礼河为金沙江一条支流，流域面积2 558 km²，全长122 km，天然水面落差2 000 m，年平均雨量900 mm。在水槽子坝址处的多年平均流量为19.3 m³/s。以礼河自水槽子以下的下游河段与金沙江的流向近乎平行，距离较近，但以礼河的河床高程比金沙江约高1 380 m，因此自水槽子处采用跨流域引水开发方式。以礼河梯级水电站总装机容量321.5 MW，年平均发电量16亿kW·h。

毛家村水电站大坝

毛家村水电站及水库建造在以礼河干流上，为全梯级的调节水库；水槽子水

电站的拦河坝建在以礼河干流上，发电地下厂房建在以礼河干流外的山体内，发电尾水注入以礼河流域外的盐水沟水电站调节池；盐水沟水电站利用水槽子水电站的尾水发电；小江水电站除利用盐水沟电站尾水外，还纳入小江的流量，增大发电用水，发电后的尾水直接排入金沙江。

水槽子水电站于 1956 年开始建设，其余水电站相继于 1972 年全部建成。盐水沟及小江水电站为高水头开发，最大水头约达 629 m，安装单机容量 36 MW 的水斗式水轮发电机。在以礼河梯级水电站工程中，毛家村水电站的拦河坝为粘土心墙土坝，最大坝高 82.5 m；水槽子水电站拦河坝为溢流混凝土重力坝。4 个梯级电站的发电厂均为地下式。各梯级电站的主要特性见下表。

以礼河梯级水电站主要特性

水电站	控制流域面积(km^2)	多年平均(m^3/s)	最大水头(m)	装机容量(MW)	年发电量(亿 kW·h)
毛家村	868	15.9	77	16	0.73
水槽子	1 233	19.3	79	17.5	0.92
盐水沟	1 233	19.3	629	144	7.16
小　江	1 386	21.8	628.2	144	7.19

以礼河梯级水电站担任滇中电网调峰和部分事故备用，并且有灌溉 0.49 万 hm^2 农田和防护 0.09 万 hm^2 农田免遭洪灾的综合利用效益。

31. 碧口水电站

——中国第一座使用振动碾碾压施工的土石坝

碧口水电站

碧口水电站位于中国甘肃省文县境内长江水系嘉陵江支流白龙江上。工程以发电为主，主要供电川北、陕南电力系统及甘肃碧口地区，同时兼有防洪、灌溉、航运、养殖及旅游等综合效益。

主体工程于1969年开工，1971年3月截流，1975年底蓄水，1976年第一台机组发电，次年其余两台机组陆续投入运行。

坝址控制流域面积2.6万 km^2，年径流量90.6亿 m^3。水库正常蓄水位704 m，总库容5.21亿 m^3，调节库容2.21亿 m^3，具有季调节性能。设计灌溉下游农田590 hm^2，年过木50万 m^3。电站装机容量300 MW，保证出力78 MW，多年平均年发电量14.63亿 kW·h。

碧口水电站平面布置图

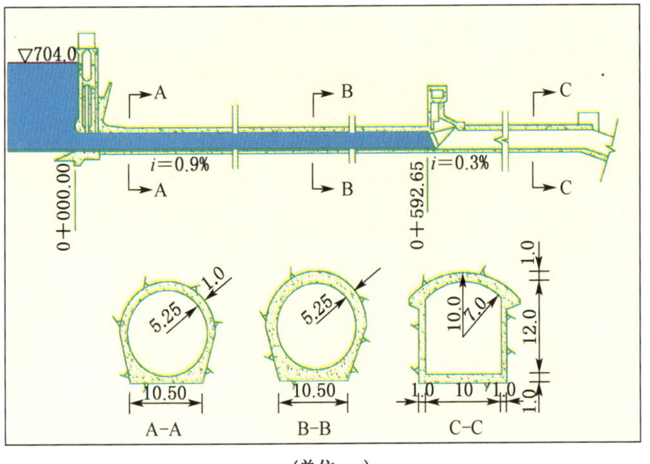

(单位：m)

碧口水电站左岸泄洪隧洞剖面图

工程由壤土心墙土石坝、右岸溢洪道、泄洪隧洞、过木道、左岸泄洪隧洞、排沙隧洞、发电引水洞和厂房等组成，属二等工程。

碧口壤土心墙土石坝按 500 年一遇洪水设计，5 000 年一遇洪水校核，10 000 年一遇洪水保坝。坝顶高程 710 m，最大坝高 101.8 m，坝长 297.36 m，坝壳由碾压堆石、石渣、砂砾石等多种材料构成，总填筑量 396.6 万 m³。为预防近坝库岸失稳涌浪过坝，在坝顶上设置高5.3 m的 L 形混凝土防浪挡墙。坝基砂卵石覆盖层最深达 34 m，心墙下先后设置了两道混凝土防渗墙，其中后做的一道深达基岩，加上伸入心墙内深度总深为 68.5 m。

枢纽泄水建筑物有：右岸岸边开敞式溢洪道，最大泄量 2 310 m³/s；右岸无压泄洪隧洞，宽 13 m，高 15 m，最大泄量 2 250 m³/s；左岸有压泄洪隧洞，直径 10.5 m，最大泄量 1 711 m³/s；左岸有压排沙兼泄洪隧洞，直径 4.4 m，最大泄量 296 m³/s。各泄水建筑物泄洪时流速均在 34 m/s 以上，属高速水流状态。

引水发电系统位于左岸，包括进水口、引水隧洞、调压井。引水隧洞直径 10.5 m，最大引水流量 480 m³/s，调压井为阻抗式方形竖井。厂房为岸边地面式，主厂房长 83 m，宽 20 m，高 46.82 m。厂内装有单机容量 100 MW 混流式水轮发电机组 3 台，转轮直径 4.1 m，额定水头 73 m。右坝头设有 3 条纵向过木机，每条台班输木量 900 m³，目前已停止使用。

碧口大坝是中国第 1 次修建高于 100 m 的土石坝，首次采用了振动碾碾压技术，对岩性软弱的地下洞室围岩采用锚喷支护，以“龙抬头”方式将导流洞改建为泄洪隧洞。

32.鲁布革水电站

——中国第一座用风化料做心墙的堆石坝

鲁布革水电站位于云南省罗平县与贵州省兴义市交界处珠江水系南盘江的支流黄泥河上，为混合式开发的水电站。电站以发电为单一开发任务。

工程于1982年11月开工，1985年截流，1988年12月第1台机组发电，1992年12月通过国家竣工验收。

坝址控制流域面积7 300 km^2，年径流量51.7亿 m^3。库区和坝区均是峡谷河段，坡陡流急，基岩出露有二叠系、三叠系、石炭系灰岩和砂页岩。坝区地震基本烈度为Ⅵ度，大坝按Ⅶ度设防。水库正常蓄水位1 130 m，相应库容1.11亿 m^3，死水位1 105 m，调节库容0.75亿 m^3，具有季调节性能。电站采用混合式开发，在首部筑坝壅高水位形成水头85 m；开挖长隧洞引水，得集中落差287 m，合计总水头372 m。装机容量600 MW，保证出力85 MW，多年平均年发电量28.45亿kW·h。

鲁布革水电站

工程由首部枢纽、引水系统和厂区等3部分组成。首部枢纽包括拦河坝、泄水建筑物及排沙隧洞。

拦河坝为心墙堆石坝，最大坝高103.8 m，坝顶高程1 138 m。心墙料取自附近的全风化砂页岩和残积土的混合料，顶宽5 m，底宽38.25 m，心墙上下游坡均为1∶0.175，上下游侧分别设置一层4 m和两层各5 m厚的反滤层。坝上下游坡均为1∶1.8，总填筑方量222万 m^3。

泄水建筑物：左岸两孔开敞式溢洪道，最大泄流量6 424 m^3/s；左岸泄洪

隧洞最大泄量1 995m^3/s;右岸泄洪隧洞最大泄流量 1 658 m^3/s。排沙隧洞 1 条,设计泄流量 300 m^3/s。

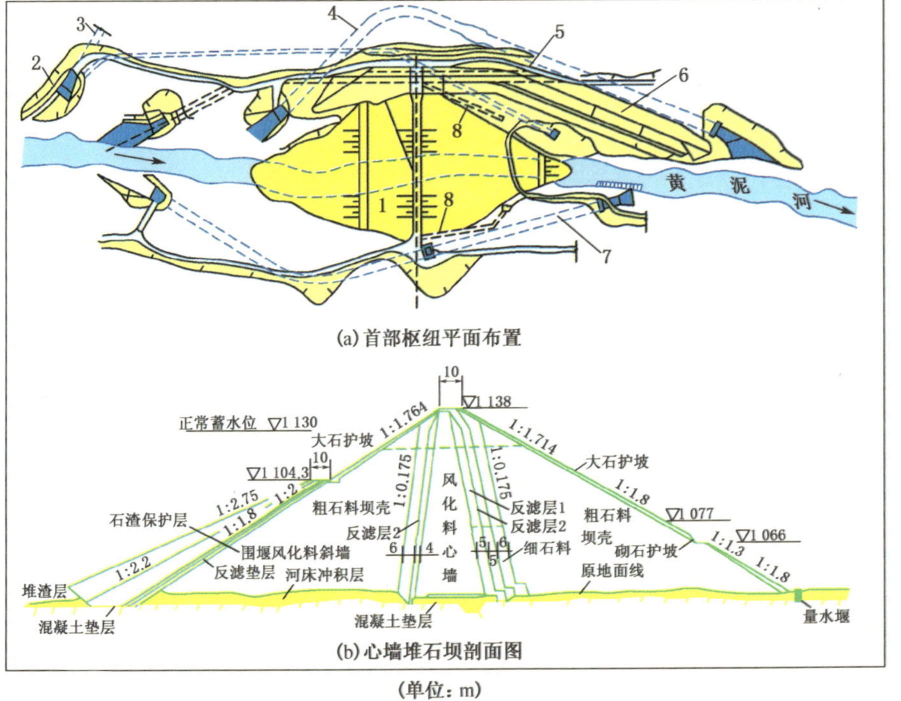

(单位: m)

鲁布革水电站首部枢纽平面布置及堆石坝剖面图

1—堆石坝; 2—进水口; 3—压力引水隧洞; 4—左岸泄洪洞;
5—导流洞; 6—溢洪道; 7—右岸泄洪洞; 8—交通洞

引水系统位于左岸,包括进水口、压力引水隧洞、调压井及压力管道。河岸式进水口位于坝上游 500 m 处,底板高程 1 091 m。引水隧洞直径 8 m,长 9 387 m,最大引水流量 230 m^3/s。调压井为带上室的差动式,其后为两条埋藏式斜井和高压主管道,下接 4 条支管。厂区位于峡谷出口处,厂房为地下式,安装 4 台单机容量 150 MW 的混流式水轮发电机组,最大水头 372.5 m,额定水头 312 m。主变室及开关站均在地下。

施工中采用了振动凸块碾碾压风化料心墙、垂直台阶形陡边坡开挖和锚喷处理溢洪道高边坡,引水隧洞采用钻爆法、光面爆破开挖,混凝土衬砌采用针梁式钢模全断面浇筑以及岩壁式吊车梁等一系列新技术、新工艺。

33.小浪底水利枢纽

——中国规模最大的堆石坝

小浪底水利枢纽位于河南省洛阳市以北 40 km 处，距三门峡大坝 130 km。枢纽以防洪、减淤为主，兼顾供水、灌溉和发电，采取蓄清排浑的运行方式，除害兴利，综合利用。

小浪底水利枢纽全景

小浪底工程于 1994 年 9 月开工建设，2001 年全部建成。

坝址控制流域面积 69.42 万 km^2，多年平均流量 1 342 m^3/s，多年平均输沙量 13.51 亿 t。水库正常蓄水位为 275 m，相应库容 126.5 亿 m^3，其中淤沙库容 75.5 亿 m^3。主要水工建筑物设计洪水标准为 1 000 年一遇，校核洪水标准为 10 000 年一遇。水电站装机 1 800 MW，多年平均年发电量 51 亿 kW·h。

枢纽主要包括挡水、泄洪排沙和引水发电三大部分。

枢纽大坝为粘土斜心墙堆石坝，最大坝高 154 m，是中国已建成的体积最大、基础覆盖层最深的土质防渗体当地材料坝。总填筑量 5 185 万 m^3，坝基混凝土防渗墙厚 1.2 m，最大深度 81.0 m，顶部插入斜心墙 12 m。上游围堰是主坝的一部分，斜墙下设塑性混凝土防渗墙和旋喷灌浆相结合的防渗措施，坝体防渗由主坝斜心墙、上爬式内铺盖、上游围堰斜墙与坝前淤积体组成完整的防渗体系。

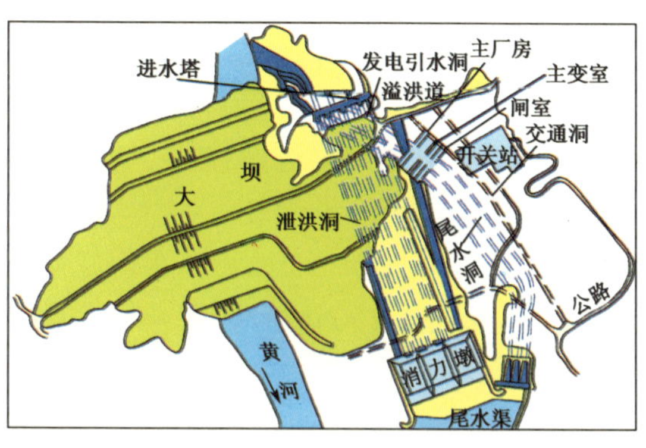

小浪底水利枢纽平面布置图

由于地形、地质条件的

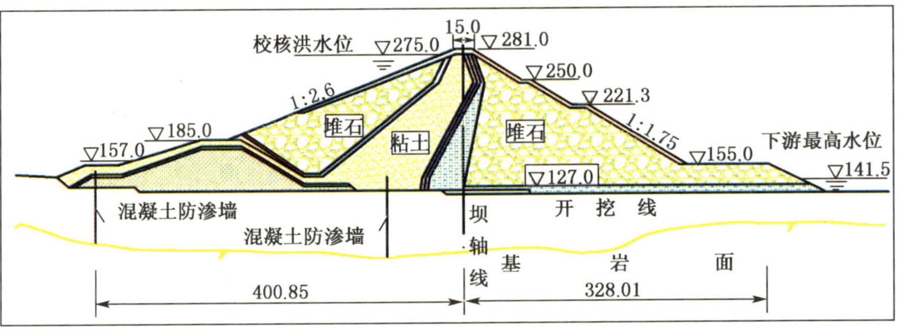

(单位：m)

小浪底粘土斜心墙堆石坝剖面图

限制和进水口防淤堵等运用要求，泄洪、排沙、引水发电建筑物均布置在左岸，形成进水口、洞室群、出水口消力塘集中布置的特点。在面积约 1.0 km^2 的单薄山体中集中布置了各类洞室 100 多条。9 条泄洪排沙洞、6 条引水发电洞和 1 条灌溉洞的进水口组合成一字形排列的 10 座进水塔，最大高度 113 m。各洞进口错开布置，形成高水泄洪排污、低水泄洪排沙、中间引水发电的总体布局，能有效防止进水口淤堵、降低洞内流速和减轻流道磨蚀，提高闸门运行的可靠性。出口处设总宽 356 m、总长210 m、最大深度 28 m 的 2 级消力塘，对以上 10 股水流集中消能，泄水渠与下游河道连接。进水塔和消力塘开挖形成的进出口高边坡最高达 120 m。为保证高边坡稳定，采用了减载、排水及 1 100 多根预应力锚索支护、竖直抗滑桩加固的综合治理措施，取得了良好的效果。

小浪底泄洪

引水发电系统由发电进水塔、引水洞、压力钢管、地下厂房、主变室、尾闸室、尾水洞、尾水渠和防淤闸等组成。地下厂房上覆岩体厚 70～110 m，其中有 4 层泥化夹层，采用了 325 根长 25 m、重 1 500 kN 的预应力锚索支护，厂房内还采用了预应力锚固岩壁吊车梁。厂房中安装 6 台 300 MW 水轮发电机组，尾水渠末端设防淤闸，防止停机时浑水回淤尾水洞。水轮机运用水头变幅大，具有良好的水力特性和抗磨损性能，且设置筒形阀，可适应多泥沙和调峰运用条件，还可在不吊出转子和转轮的情况下，进行导水机构和转轮过流表面的维修。

小浪底水利枢纽在建设过程中，在解决深厚覆盖层防渗、进水口防泥沙淤堵、高速含沙水流消能及抗磨蚀、密集洞室群的围岩稳定、泄水建筑物进出口高边坡稳定、大型复杂钢闸门、启闭机的制造和安装等技术问题上，积累了丰富的经验。在设计、施工中采取了多项创新技术，如由导流洞改建而成的 3 条孔板泄洪洞洞内消能、3 条排沙洞无黏结预应力混凝土衬砌、GIN 法灌浆、防渗墙施工中采用的横向槽孔充填塑性混凝土保护下的平板式接头等新技术，均取得成功。小浪底大坝填筑时创造了中国 20 世纪土石坝施工的最高年强度 1 636.1 万 m^3、最高月强度 158 万 m^3、最高日强度 6.7 万 m^3 等 3 项最高纪录。

34. 石砭峪定向爆破堆石坝

——中国应用复合土工膜防渗加固最高的土石坝

石砭峪定向爆破堆石坝位于陕西省长安县境内秦岭北麓的石砭峪河下游，距西安市 35 km，工程以灌溉、城市供水为主，兼有发电、防洪等综合效益。

石砭峪定向爆破堆石坝全景

工程于 1972 年开工进行导流洞及左岸主爆区和右岸副爆区的导洞、药室施工。1973 年 5 月 10 日进行了定向爆破，爆破方量 236 万 m^3，上坝方量 144 万 m^3，上坝率 60.7%，是当时中国装药量最大的定向爆破筑坝。1980 年基本建成，1981 年第一次蓄水。

坝址控制流域面积 132 km^2，多年平均径流量 9 700 万 m^3。水库总库容 2 810 万 m^3，有效库容 2 650 万 m^3，设计灌溉面积 1.12 万 hm^2，向西安市年供水 3 000 万 m^3；水电站装机容量 3 MW，年发电量 1 700 万 kW · h。枢纽主要水工建筑物按 3 级建筑物设计，设计洪水标准为 100 年一遇，校核洪水标准为 1 000 年一遇。

枢纽工程由大坝、输水洞、泄洪洞和两级水电站组成。

大坝为定向爆破堆石坝，最大坝高 85 m，坝顶长度 265 m。坝体总量 208 万 m^3，其中定向爆破堆石坝体 144 万 m^3。沥青混凝土防渗斜墙采用不设排水层的简式断面，厚度按水头分别采用 32 cm、27 cm 及 22 cm。输水洞位于左岸，兼作导流、灌溉、发电、供水和泄洪，为圆形压力隧洞，洞径为 4 m，

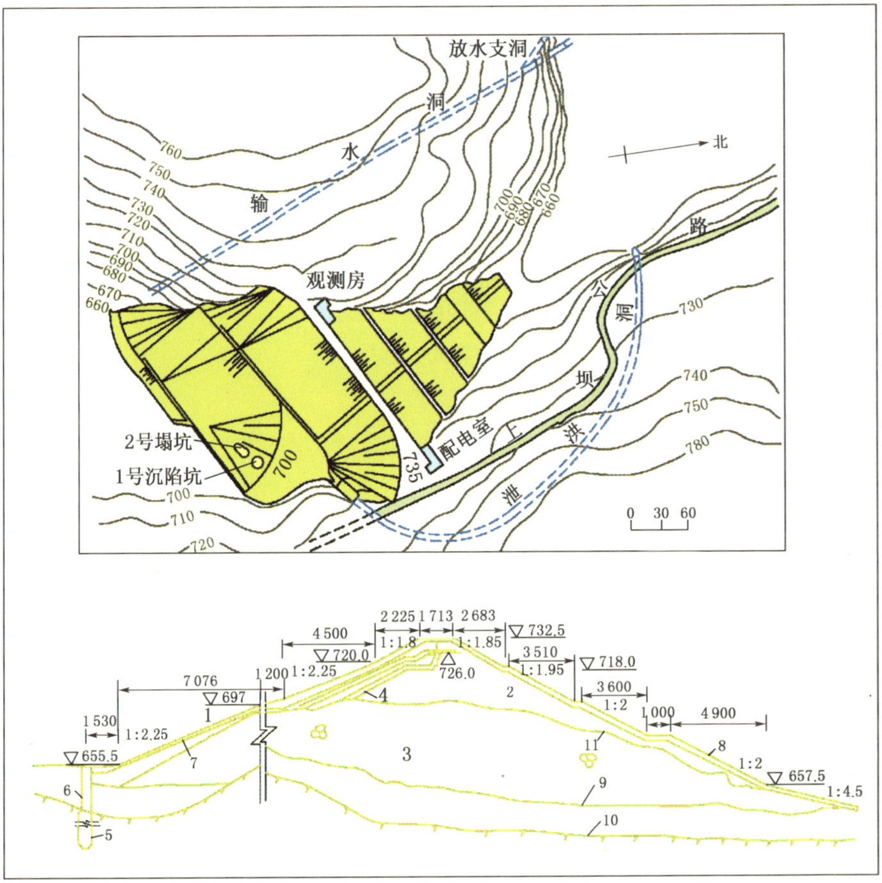

(单位：m)

石砭峪定向爆破堆石坝平面布置和剖面图

设计最大泄量 192 m^3/s，灌溉引水流量 10 m^3/s。泄洪洞位于右岸，为城门洞形无压隧洞，设计最大泄量为 808 m^3/s。

水库蓄水运行后曾于 1980 年、1992 年、1993 年发生渗漏，实测坝后最大渗漏量达 1.72 m^3/s，为此水库降低水位运行。坝后产生渗漏的主要原因，是由于坝体人工填筑部分级配不良和右岸原坡积层在沥青混凝土斜墙铺筑时未予以清除造成，致使防渗斜墙发生裂缝及坍坑引起渗漏。工程于 2000 年 1～6 月对坝体浅层堆石体采取充填灌浆及沥青混凝土防渗斜墙表面铺设复合土工膜加固处理，取得了很好的效果，是我国用复合土工膜处理渗漏缺陷最高的大坝。现在水库每年向西安市供水 3 000～5 000 万 m^3。

35. 南水水电站

——中国应用定向爆破技术效果最好的堆石坝

南水水电站位于广东韶关乳源南水上，距乳源瑶族自治县县城 16 km，是广东省第二大人工湖，也是韶关市装机容量最大的一座水电站。

南水水电站

工程于 1960 年 12 月 25 日进行大爆破，1969 年蓄水发电。

坝址控制流域面积 608 km^2，多年平均流量 33.4 m^3/s，设计洪水流量4 190 m^3/s，总库容 12.18 亿 m^3，装机容量 75 MW。坝址两岸山体高耸，河谷呈“V”字形，水面宽约 15～30 m，地质条件为石英砂岩。

大坝采用定向爆破堆筑，坝高 81.8 m，坝顶长 215 m，坝顶宽 8 m，坝底宽 430 m，上、下游堆石边坡均为 1∶3，设计爆破抛掷方量 114 万 m^3，堆积平均高度为 65 m。

施工采用在右岸布设以大型药包为主、结合小型辅助药包的爆破方案，共装药 1 394 t，经检测，抛掷方量为 105 万 m^3，抛掷有效上坝量 100 万 m^3；堆石坝体中心与设计仅差几米，爆破定向正确；爆破堆石平均高度62.3 m，底宽 420 m，上、下堆石边坡均为 1∶3，与设计基本吻合，爆破堆筑良好；爆破对基岩破坏影响小，都控制在设想的破坏范围以内；爆破抛石堆体空隙率平均小于 30%，密实度较高。水库建成后正常运行，曾经过三次洪水位的考验，坝体质量良好，成为中国定向爆破筑坝规模大、效果最好的工程。

南水水库水质晶莹透碧，沿岸青山连绵，瑶寨竹木楼掩映在绿树丛中。在库内西北面积约 667 hm^2 的半岛上，建有中国南方第一狩猎场。从水库码头至狩猎场乘船前往，途中可领略库区风光。

南水水库风景之一

南水水库风景之二

南水水库风景之三

南水水库风景之四

南水水库风景之五

36. 天生桥一级水电站

——面板面积及堆石体方量世界第一的大坝

天生桥一级水电站位于南盘江干流，为红水河梯级开发的龙头电站。坝址右岸为广西壮族自治区隆林县，左岸为贵州省安龙县。电站距贵阳市240 km，其上游约62 km是南盘江支流上的鲁布革水电站，下游约7 km是天生桥二级水电站。

电站于1991年6月开工建设，1994年底截流，1998年底第一台机组发电，2000年工程竣工。

坝址控制流域面积50 139 km^2，多年平均径流量193亿m^3。总库容102.57亿m^3，为不完全多年调节水库。主要建筑物均按1 000年一遇洪水设计，最大可能洪水校核。

天生桥一级混凝土面板堆石坝全景

枢纽由混凝土面板堆石坝、开敞式岸边溢洪道、放空隧洞、引水系统和地面厂房等主要建筑物组成。天生桥一级水电站采用混凝土面板堆石坝，最大坝高178 m，居20世纪末世界已建面板坝的第二位，坝顶长度、坝体填筑方量和面板面积居世界首位。坝顶高程791 m，坝顶长1 104 m，坝体填筑量约1 800万m^3，其中1 400万m^{3}的填筑

料来源于溢洪道的开挖渣料。

布置在右岸垭口的溢洪道具有规模大、泄流量大、流速高的特点，由引水渠、溢流堰、泄槽、挑流鼻坎和护岸工程组成。溢流堰前缘宽度 81 m，设 5 孔 13 m×20 m 弧形闸门，为 20 世纪末中国规模和泄量最大的岸边溢洪道，最大流速达 45 m/s，泄槽内布置有掺气减蚀设施。

放空隧洞位于右岸，具有后期导流、旁通及放空等多种作用，最大泄量为 1 766 m^3/s。用弧形闸门控制，总水压力 87 350 kN，是国内采用液压伸缩式止水的最大弧形闸门。

电站总装机容量1 200 MW，4 机联合运用时，保证出力 403.6 MW，多年平均发电量 52.5 亿 kW・h。

厂房位于大坝下游左侧岸边，采用单机单管引水方式。引水系统布置在左岸，由引水渠、进水塔、隧洞与压力钢管组成。隧洞段上覆岩体单薄，又是断层通过带，故采用了后张法有粘结预应力混凝土衬砌新技术。主变压器布置在厂房上游。

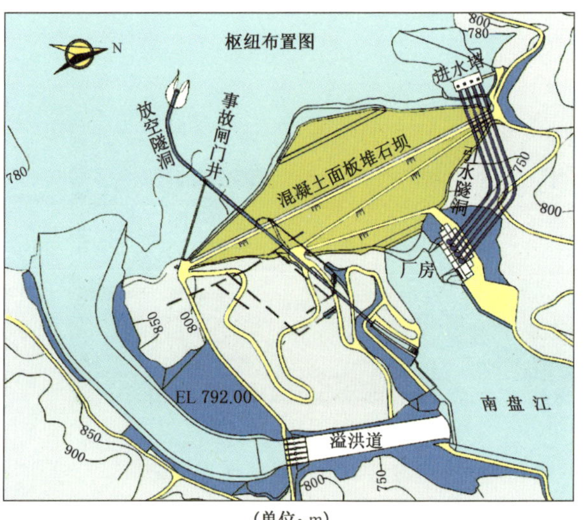

天生桥一级水电站平面图

37.水布垭水电站

——中国最高的混凝土面板堆石坝

水布垭工程位于湖北恩施巴东县境内长江支流清江上游，是清江干流上龙头工程。上游距恩施市 117 km，下游距隔河岩水利枢纽 92 km，以发电、防洪、航运为主，兼顾其他的水利枢纽综合运用。

清江水布垭枢纽工程混凝土面板堆石坝枢纽效果图

水布垭混凝土面板堆石坝（蓄水前）工程计划总工期 8.5 年。2000 年以前为筹建期，2001—2002 年为施工准备期，2003—2007 年为主体工程施工期，2007 年 7 月至 2009 年 6 月底为工程完建期。

水库正常蓄水位 400 m，总库容 45.8 亿 m^3，安装 4 台混流式水轮电机组，单机容量400 MW，总装机容量 1 600 MW。保证出力 310 MW，每年平均发电量 39.2×10^8 kW·h。

该工程为大型水利枢纽。主体建筑物有：混凝土面板堆石坝、河岸式溢洪道、右岸地下式电站厂

水布垭枢纽布置图

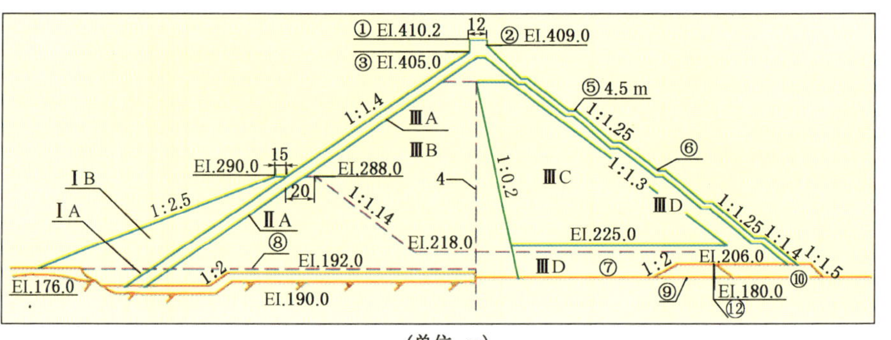

(单位: m)

水布垭混凝土面板堆石坝标准断面图

房和放空洞等。混凝土面板堆石坝为目前世界上最高的面板坝，最大坝高 233 m，坝顶高程 409 m，坝轴线长 660 m，大坝上、下游坝坡均为 1∶1.4。

水布垭混凝土面板堆石坝标准断面河岸式溢洪道布置在左岸，由引水渠、控制段、泄槽段（含挑流鼻坎）和下游防冲段组成。下游防冲段采用防淘墙的结构型式。

放空洞布置在右岸，用于水库放空，中、后期导流和施工期向下游供水等。有压洞长 530.24 m，洞径 9.0～11.0 m。无压洞长 532.63 m，洞室净空尺寸为 7.2 m×12.0 m，为城门洞型。

引水式地下电站的引水隧洞采用一机一洞，平均长 387.9 m，圆形断面内径为 6.9～8.5 m；地下厂房尺寸为 168.5 m×23 m×67 m（长×宽×高）；尾水洞亦采用一机一洞，平均长 313.18 m，圆形断面内径为 11.3 m。

枢纽两岸地形陡峻，库首近坝地段及坝区环境地质条件比较复杂，坝址区环境地质条件较差，有较多的危岩体分布，先后进行了滑坡治理、软岩成洞、消能形式等多项研究工作，取得了良好的效果。

施工导流采用围堰一次拦断河床、隧洞导流、枯水期围堰挡水和汛期淹没基坑的方式。

该工程建成后，将形成 200 km 黄金水道，与此前建成的清江隔河岩、高坝洲水电站形成全流域控制和“一江三库”的壮丽景观。

38. 石龙坝水电站

——中国第一座引水式开发的水电站

石龙坝水电站位于云南省昆明市郊的螳螂川上，是中国大陆最早兴建的水电站。电站一厂于1910年7月开工，1912年4月发电，最初装机容量为0.48 MW。

石龙坝水电站

螳螂川是滇池的惟一泄水通道，从滇池出口到平地哨一段，河道平缓。平地哨以下从滚龙坝到石龙坝一段，坡陡流急，集中落差30余米。石龙坝水电站就是以滇池为天然调节水库、利用该段较集中落差兴建的引水式水电站。

石龙坝水电站一厂是1908年（清光绪三十四年）由昆明商人王筱斋为首招募商股、集资筹建的。引水渠长1 478 m，利用落差15 m，引用流量4 m^3/s，安装两台向德国西门子公司订购的单机容量0.24 MW的水轮发电机组，用22 kV输电线路向距电站32 km的昆明市供电。1932年一厂扩建，增设1台0.72 MW机组。1935年又将最初安装的两台0.24 MW小机组拆除，增设第2台0.72 MW机组，使一厂最终规模达到1.44 MW。由于一厂只利用落差15 m，仅为河段总落差的一半，故在1924—1939年，

又引用一厂尾水，再利用落差 15 m，先后建成二厂和三厂，装机容量分别为 1 MW 和 0.48 MW。经过扩建和改建，到 1949 年，全厂总装机容量为 2.92 MW。

中华人民共和国成立后，对石龙坝水电站进行了彻底改造，另建新厂房，由原来的两级开发改为一级开发，将原来的 7 台小机组拆除，改为两台单机容量为 3 MW 的机组，全厂总装机容量达到 6 MW。1954 年新厂房建成，第 1 台为瑞士产的机组投产。1958 年 7 月 1 日第 2 台中国产机组发电。改建后的电站利用落差 31 m，引用流量 24 m^3/s。

石龙坝水电站发电机

石龙坝是一座中国人集资主持兴建的第一座水电站，规模虽不大，名气却远扬海内外。20 世纪 50 年代，波兰大学一位教授访问昆明时，要求一定要去石龙坝，因波兰一部科教电影中介绍过石龙坝电站。1987 年 7 月 30 日，德国西门子迪纳摩工厂厂长艾希特麦尔特意陪夫人和助手飞抵昆明拜访石龙坝，而当年的麦华德工程师却长眠于石龙坝。石龙坝电站现已被列为重点文物而受到保护。它是中国水电史上的一座丰碑。

39. 天湖水电站

——中国最早兴建的水头超过千米的水电站

天湖水电站位于湘江水系驿马河上游，距广西壮族自治区桂林市全州县城 35 km。

第一期工程于 1989 年 7 月开工建设，1992 年 4 月竣工；第二期工程于 1994 年 12 月开工建设，1999 年 7 月竣工。

天湖水电站全景

工程由蓄(引)水、输水、发电和输电 4 个系统组成。

高山蓄(引)水系统,以天湖水库和海洋坪水库为核心,共 13 个中小型水库组成相互联系、上下贯通的水库群和引水、输水网路。水库群位于海拔 1 400 m 以上的高山区,总控制集水面积 43.67 km^2,水库总库容 3 424 万 m^3。

输水系统由两部分组成,前池以前部分为渠道和无压隧洞,将各水库的水引入前池;前池以后由无衬砌的压力竖井及压力钢管将水引至发电系统。

电站设计发电静水头 1 074 m,压力水道系统由 1 428 m 高程的大王山隧洞、二王山隧洞、高程 1 400 m 的丁字隧洞、竖井、斜井、高程 827 m 平洞、洞内明管及洞外明管上下连接组成,全长 4 500 m。电站设计装机容量 60 MW,分两期建设,每期工程装机容量各 30 MW。多年平均发电量为 1.85 亿 kW · h。

截至 20 世纪末,天湖水电站为中国及亚洲水头最高的引水式水电站,其设计水压力及 PD 值均超过了中国现行设计规范的范畴,在现行规范仅可作为参考的特殊情况下,为保证压力钢管的工作可靠性,设计首次对钢管和岔管的膜应力区采用模糊优化理论,建立优化设计数学模型和模糊优化数学模型,在超高水头和超规范指标情况下将常规设计的允许应力提高 3%,对压力钢管进行优化设计,使设计既安全又经济。在电站运行中,压力钢管已承受了全甩负荷考验,未出现异常情况,经济效益和社会效益显著。在结构设计上,首创了压力钢管分离式动支座及超高水头消力井排水消能新技术;在伸缩节和进入孔分别采用了动静性能密封良好的聚四氟乙烯石棉盘根和特二铝新材料;施工中采用了厚钢板小直径辊圆不留头辊压新工艺,解决了压力钢管曲率大、钢板厚的钢管成型技术难题,同时采用埋弧自动焊接新技术,焊前采用板式远红外预热,焊后用电炉恒温处理,消除焊渣、气泡、残余应力及冷弯应力,保证了钢管的制作和安装质量。

40. 六郎洞水电站

——中国最早的地下水径流水电站

六郎洞水电站位于云南省红河州和文山州交界处的邱北县新店乡，是我国第二个五年计划期间投资兴建的16个水电站之一，也是中国第一座在岩溶地区直接利用地下水发电的水电站。

电站于1958年2月开始施工，1960年2月投产发电，同年3月竣工。

六郎洞河为一地下河流，河水自喀斯特溶洞中流出，经5.2 km的明流后汇入南盘江，落差为104 m，平均坡降为2%，全河流域面积846 km²，其中明流段流域面积为39 km²。该电站系引用南盘江右岸支流六郎洞地下水发电，地表水经地下河汇集于天然喀斯特溶洞——六郎洞，地下水量丰富，举世罕见。经截流堵漏形成溶洞内调节水库，由3 368.33 m长的地下引水隧道引水至主厂房发电，尾水泄入南盘江。

坝址控制流域面积807 km²，多年平均流量22.6 m³/s。水库正常蓄水位1 086.0 m，总库容27.1万m³，有效库容23.74万m³，为一日调节地下水库。电站装机容量25 MW。

电站首部枢纽(包括溢洪道、冲沙闸、堵洞工程、进水口和地下水库等建筑物)布置在六郎洞洞口，采用干砌块石封堵溶洞，混凝土和钢筋混凝土板防渗，将洞内水位抬高，形成日调节地下水库。利用原石灰岩溶洞出口及下洞口修建冲沙闸和溢洪道，构成壅水、泄洪和冲沙等建筑物。

溢洪道布置在原六郎洞下洞口石灰岩岩基上，采用重力式溢流堰，堰顶高程1 083 m，坝(闸)高11.6 m。堰顶设弧形闸门，原设计孔口尺寸(宽×高)为6 m×3 m，1970年文化大革命期间因上级指示提高水位超负荷运行，曾将孔口尺寸缩小为4 m×1.5 m。首轮定检后，按专家组意见，又将其恢复

到原设计孔口尺寸 6 m×3 m。下游采用挑流消能。

冲沙闸布置于溢洪道右侧，采用钢筋混凝土结构。闸底板高程1 068 m，闸体高度 10.5 m，采用底孔泄流，底孔设弧形工作闸门，孔口尺寸（宽×高）为 1.8 m×1.8 m。

电站进水口布置在上洞内跌坎上游，底板高程 1 068 m。进水口采用隧洞式直接自洞内取水。

六郎洞地下河

六郎洞洞口为地下暗河出口，但出口附近尚有 134 m 长一段页岩分布，低于正常蓄水位 1 086.0 m，成为渗漏的缺口，故对缺口地段 1 055 m 高程以上渗漏段岩体在堵洞的同时进行了防渗处理。堵洞后形成的地下水库，经过 42 年蓄水，在水库水位升降变动的情况下，溶洞仍然保持稳定。

41. 岗南水电站

——中国第一座混合式抽水蓄能电站

岗南水电站位于滹沱河中游平山县境内岗南村西，是治理滹沱河、调节洪水、开发利用水利资源的大型水利枢纽工程。工程以防洪、灌溉为主，兼顾发电、供水和水产养殖等。

坝址控制流域面积 15 900 km^2，占滹沱河山区面积的 2/3。水库总库容 15.71 亿 m^3。

1958 年 3 月 10 日水库主体工程动工兴建，1959 年 7 月 15 日主、副坝坝顶填筑到 197 m 高程，并且首次发挥了拦洪蓄水效益。1962 年，根据国家调整方针，工程停建转入维护。两台 15 MW 机组开始运转发电。

1966 年 10 月，水库续建工程开工。续建工程项目有：主、副坝加高；正常溢洪道改建；非常溢洪道剩余混凝土浇筑和交通桥续建；新建泄洪洞，洞径 5.4～6 m；安装一台蓄能发电机组。续建工程 1969 年底基本按设计竣工。

工程主要建筑物包括：主坝、副坝、输水洞、泄洪洞、正常溢洪道、非常溢洪道、调节池和新增溢洪道等。

1. 主坝。坝型为粘土斜墙坝，坝顶高程 209 m，最大坝高 63 m，坝长 1 701 m。

2. 17 座副坝。左岸 12 座，右岸 5 座，总长 4 757 m。均为均质土坝。

3. 输水洞。系泄洪发电合用隧洞，洞径 6 m。发电洞长 389 m，末端分 3 个岔管，安装 3 台发电机组，总容量 41 MW。泄洪支洞长 155.8 m，出口设消力池，输水洞进口安装 5 m×6 m 平板钢闸门，出口安装 4.5 m×4.5 m 弧形闸门。泄洪支洞在闸门开度 3.5 m 时最大过水流量 388 m^3/s。

4. 泄洪洞。长 698.4 m，其中前段 155.4 m 的洞径为 5.4 m，后段有压

洞段直径 6 m,无压洞断面为 6 m×6.5 m 门形。尾洞与无压洞间由泄洪明渠连接,出口未做消能工程。进口安装 4.5 m×6 m 平板钢闸门,出口安装 4.5 m×4.5 m 弧形闸门,最大泄洪流量 468 m^3/s。出口闸门前留一支洞给引岗渠输水。

5. 正常溢洪道。河岸开敞式,有闸门控制。4 孔,每孔净宽 12 m,设 12 m×12.3 m 弧形闸门 4 扇,最大泄洪量 5 640 m^3/s。

6. 非常溢洪道。河岸开敞式,净宽 41.6 m,未安装闸门。堰顶高程 194 m,堰前筑粘土斜墙式土坝一座,坝顶高程 205 m。遇超百年一遇洪水炸坝泄洪。最大泄洪量 3 520 m^3/s。

7. 调节池。用于水电站蓄能发电和调节温塘河来水,向大川渠、北跃渠、水轮泵站和八一两站供水。

岗南水电站全景

8. 新增溢洪道。占用左岸一号副位置,1978 年汛后建。河岸开敞式,8 孔,每孔净宽 9 m,安装 9 m×15.5 m 弧形闸门控制。堰顶高程 191 m。1986 年 9 月,挑坎以上工程及配套的管理房屋、备用电源竣工。二期工程于 1989 年 6 月完工,这项工程按 1 000 年一遇洪水设计,10 000 年一遇洪水校核。

42. 广州抽水蓄能电站

——世界装机容量最大的抽水蓄能电站

广州抽水蓄能电站上水库

广州抽水蓄能电站位于广州市东北方向的从化市，距广州市约 90 km。电站分两期建设，兴建的目的是使深圳大亚湾核电站平稳安全运行，为广州电网调峰、调频、调相及事故备用。

广州抽水蓄能电站一期工程于 1988 年 9 月开始兴建，1989 年 5 月主体工程正式开工，1993 年 6 月第一台机组发电，1994 年全部建成。二期工程 1994 年 9 月正式开工，1999 年 4 月第一台机组发电，2000 年 6 月 4 台机组全部投入商业运行。

一期、二期工程主要建筑物：上水库、下水库、引水系统、厂房和 500 kV 开关站。一期、二期工程共用上、下水库，两水库之间距离 4.2 km。上水库、下水库都有天然径流补充，上水库的召大水和下水库的九曲水同属流溪河上游牛栏河支流。

一期和二期工程分别装设 4 台可逆式水泵水轮机，单机容量 300 MW（发电工况），总装机容量为2 400 MW，是世界上装机容量最大的抽水蓄能电站。

广州抽水蓄能电站在建设过程中成功地采用了先进技术，实现了工期短、质量好、投资省的目标。二期工程在总结一期工程经验的基础上又进行了一些优化设计和施工，如引水系统的尾水调压井一期为两机一井，共两

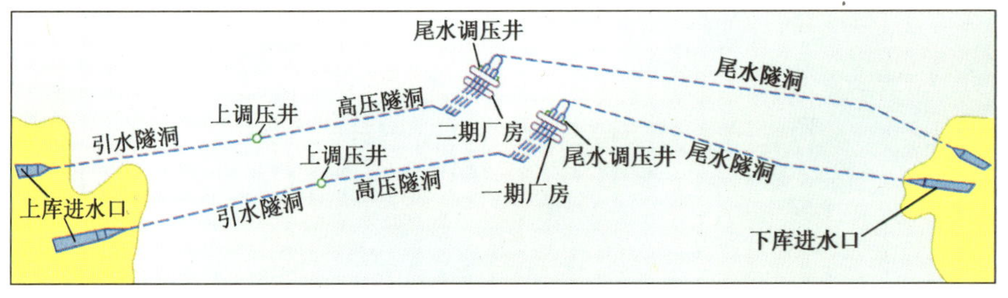

广州抽水蓄能电站平面布置图

井,二期改为四机一井,运行实践证明效果良好;高压斜井衬砌为滑模施工,创造出施工速度 207 m/mon 的新纪录;地下厂房、大型洞室轻型支护参数达到国际先进水平。地下厂房结构于发电机层以下采用厚板梁以及嵌固于围岩的整体墙系统,提高了结构系统吸收机组振动的动力特性,改善了运行条件,反映了当代抽水蓄能电站技术的进步。

电站自投入运行以来,在广州电网中效益显著。以一期电厂为例,年平均吸收低谷电量 14.05 亿 kW·h、调峰发电量 10.8 亿 kW·h,可为电网调峰填谷、调频、调相,平均每台机年运行时间2 217 h,平均每台机每天启动 2.25 次。当系统有事故周波低于 49.8 Hz 时,平均每年紧急启动 16.5 次。另外,机组可靠性也是很高的。1999 年,发电启动成功率达 99.8%,抽水启动成功率达到 97.7%。二期机组从静止到发电满载仅需 2 min,静止至抽水满载也仅需 4 min 左右。

43. 天荒坪抽水蓄能电站

——中国已建单个厂房装机容量最大、单级水头最高的抽水蓄能电站

天荒坪抽水蓄能电站位于浙江省安吉县境内太湖流域西苕溪支流大溪上，距杭州市 57 km，担负华东电网调峰、填谷、调频、调相和事故备用等任务。

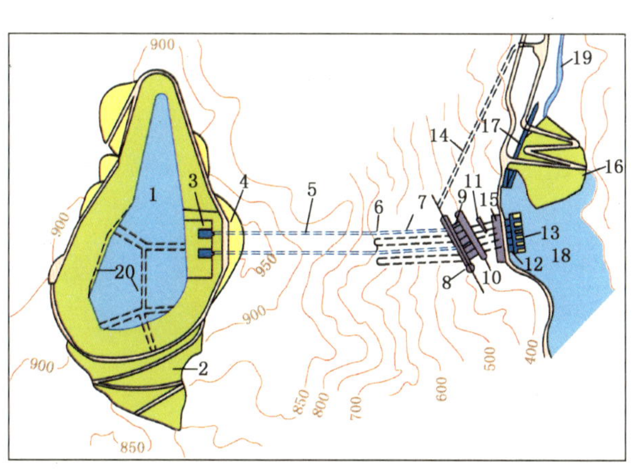

天荒坪抽水蓄能电站平面布置图

1—上水库；2—上水库主坝；3—上水库进/出水口；4—闸门井；5—斜井式高压隧道；6—岔管；7—高压钢管；8—主厂房；9—母线道；10—主变洞；11—尾水闸门洞；12—尾水隧洞；13—下水库进/出水口；14—进厂交通洞；15—500 kV 开关站；16—下水库坝；17—溢洪道；18—下水库；19—大溪；20—库底排水观测廊道

电站枢纽包括上水库、下水库、输水系统、地下厂房洞室群和开关站等部分。

电站工程总装机容量为 1 800 MW。前期准备工程于 1992 年 6 月开始，主体工程于 1994 年 3 月 1 日正式开工。1 号机组 1998 年 9 月 30 日投入试运行，2000 年最后一台机组投运。

上水库是利用天然洼地挖填而成，设计最高蓄水位为 905.2 m，相应库容 919.2 万 m^3。上水库由 1 座主坝和 4 座副坝组成，均为土石坝，主坝最大高度 72 m。主副坝和库底防渗均采用沥青混凝土护面，总面积 28.68

万 m^2。

下水库坝址以上流域面积 24.2 km^2，多年平均年径流量 2 760 万 m^3。下水库设计最高蓄水位为 344.5 m，相应库容为 859.56 万 m^3。挡水建筑物为钢筋混凝土面板堆石坝，最大坝高 92 m。大坝按 100 年一遇洪水设计，1 000 年一遇洪水校核，可能最大洪水不漫顶。在左坝头布置无闸门控制的侧堰式溢洪道。

输水系统在流纹质熔凝灰岩岩体内开凿而成。上游输水系统布置两条内径为 7 m 的钢筋混凝土衬砌斜井式高压隧洞，通过钢筋混凝土岔管各接三根钢衬支管引水进入水泵水轮机，输水系统承受的最大静水压力为 680.2 m 水头，最大动水压力达 887 m 水头。每台机组接一条尾水隧洞，并且用钢板衬砌到尾水闸室下游的渐变段为止。

天荒坪抽水蓄能电站上水库

500 kV 开关站平台布置在下水库左岸进/出水口上方的 350.2 m 高程上。主副厂房、主变室、母线洞、550 kV 电缆竖井、尾水闸门室和交通、通风、排水等洞室群，均布置在流纹质熔凝灰岩岩体中。所有的地下洞室群均采用喷锚支护，局部加钢筋网。厂房内安装 6 台 300 MW的机组，年发电量 30.14 亿kW·h，年抽水电量 41.04 亿 kW·h。水轮机为立轴单级可逆混流式水泵水轮机，当水轮机工况额定净水头为 526 m 时，单机额定出力为 306 MW，水泵工况最大输入功率为 336 MW，最大扬程 614 m。发电电动机为立轴悬式、空冷可逆式三相同步电机，发电机工况和电动机工况的额定容量分别为 333 MW 和 336 MW。

天荒坪抽水蓄能电站是中国已建的抽水蓄能电站中单个厂房装机容量最大、单级水泵水轮机水头最高的一座，在世界上同类电站中也位居前列。上水库库盆全部采用沥青混凝土防渗护面，500 kV 电缆采用干式电缆，这在中国均属首例。

44. 羊卓雍湖抽水蓄能电站

——海拔最高的抽水蓄能电站

羊卓雍湖抽水蓄能电站位于西藏自治区贡嘎县境内，距拉萨市 80 km。电站为混合式抽水蓄能电站，主要供电拉萨、山南、日喀则等地，并且担负拉萨电网调峰、调频和事故备用任务。电站厂区地面海拔约 3 600 m，是世界上海拔最高的抽水蓄能电站，也是中国水头最高的抽水蓄能电站。

羊卓雍湖抽水蓄能电站

羊卓雍湖抽水蓄能电站于 1989 年 9 月开工，1997 年 6 月 1 日第 1 台机组并网发电，于同年 12 月份竣工。

电站主要建筑物：羊卓雍湖边进水口、引水隧洞、调压井、压力管道、地面式厂房和 110 kV 开关站及雅鲁藏布江边取水口、沉沙池、与多级蓄能泵相连接的抽水钢管。

上水库羊卓雍湖库容 150 亿 m^3，来水量充沛，年内水位变幅仅 1.23 m，可保证湖内水位及湖区原有的生态环境。下水库实际上是雅鲁藏布江。电站在运行过程中，总体上不动用羊卓雍湖的水，还可用丰水期多余电量将雅鲁藏布江边的下池水抽到羊卓雍湖，在枯水期发电。电站总装机容量 112.5 MW，多年平均年发电量 9 180 万 kW · h，年发电利用小时数 1 000 h。

引水隧洞为圆形有压隧洞，全线采用钢筋混凝土衬砌。压力钢管采用 1 根主管供水，前段为埋藏管，长 754.4 m；后段为明管段，长 2 290.4 m。明管中高压段均采用日本进口抗拉强度 610 MPa 的高强钢板制造。主厂房长

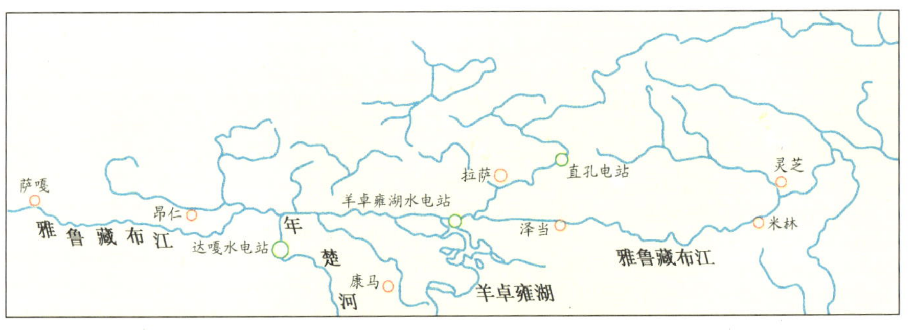

西藏羊卓雍湖抽水蓄能电站平面布置图

69.8 m，安装4台由奥地利依林—伏伊特（ELIN—VOITH）公司制造的三机式抽水蓄能机组，并且预留1台常规机组的位置。沉沙池设在雅鲁藏布江边，通过沉沙池可将雅鲁藏布江水中粒径大于0.1 mm的泥沙颗粒沉淀80%以上，从而减少泥沙对机组的磨损。

羊卓雍湖抽水蓄能电站

运行以来对拉萨电网的调峰填谷及事故备用效益显著，虽然单位功率投资较高，但运行成本比其他电站均低，在西藏地区仍是经济的电源。

45. 明潭抽水蓄能电站

——中国台湾省最大的抽水蓄能电站

明潭抽水蓄能电站位于台湾中南部南投县，在明潭抽水蓄能电站下水库坝下游约 4 km 处的水里溪河谷，兴建另一座混凝土重力坝形成下水库，上水库利用天然湖泊日月潭。

明潭抽水蓄能电站是中国台湾省最大的抽水蓄能电站，总装机容量 1 600 MW。电站于 1987 年开工，1995 年建成，历时 7 年 9 个月。

下水库最高水位 373 m，最低水位 345 m，工作深度 28 m，调节库容 1 200 万 m^3，可供连续发电及抽水时间各为 6.7 h 及 7.8 h。混凝土重力坝最大坝高 61.5 m，坝顶长 319 m。坝底部设有 4 条排沙道，河床中设 3 个表孔溢流坝段。

明潭工程设有两条引水管道，每条引水管道包括引水隧洞、调压井、压力钢管、岔管及支管。尾水隧洞为一机一洞，采用钢筋混凝土衬砌。电站厂

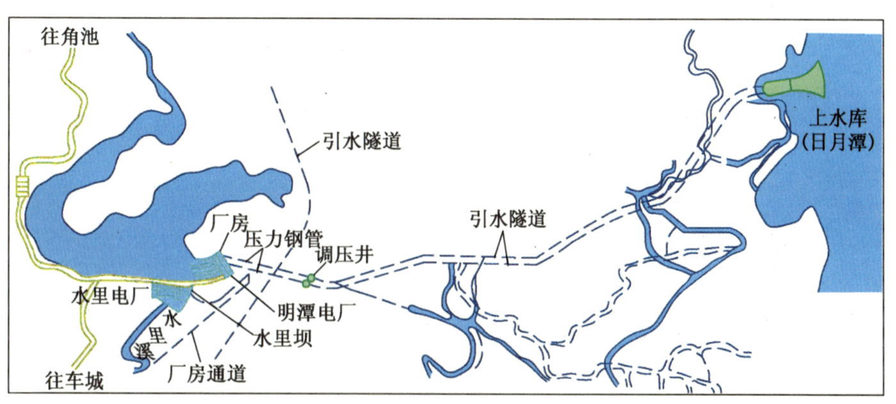

明潭抽水蓄能电站平面布置图

房设于下水库坝左岸山腹内。全部机电运转系统可由建于开关站西侧较高平台之上的控制大楼遥控操作。

水泵水轮机从美国 VOITH 公司进口，发电电动机由法国 ALSTHOM 公司提供。水泵水轮机为立轴单级可逆混流式，发电设计水头 380 m，抽水最大扬程 411 m；发电电动机为同步半伞式，发电工况 300 MV・A，抽水工况容量 283 MW；主变压器为室内特殊三相式，容量 300 MV・A，电压 16.5/345 kV；开关站为 345 kV 屋外 GIS。水泵启动方式是变频及背对背同步。

日月潭

根据 1994—1996 年的统计资料，明潭抽水蓄能电站的 6 台机组平均年运行小时数为 4 092 h，年均机组可用率达 82.4%，年均启动次数 741 次/台。

46. 江厦潮汐电站

——中国最大的潮汐电站

江厦潮汐电站位于浙江省乐清湾顶端支汊江厦港，在温岭市境内。该电站利用当时尚未建成的七一塘围垦工程改建，是20世纪80年代中国建成的试验性双向潮汐发电电站，也是中国最大的潮汐电站。电站工程还兼有围垦、养殖和交通等综合效益。

电站于1972年10月开工，1980年5月首台机组发电，1985年12月全面建成。

电站所在的江厦港纵深9 km，坝址处口门宽度686 m，系狭长半封闭浅海半日潮港，处在中国大潮差地带。多年平均潮差5.08 m，最大潮差8.39 m，最小潮差1.53 m。在正常蓄水位以下库容为514万m^3，发电有效库容为336万m^3。电站采用单库双向发电方式，枢纽建筑物由堤坝、水闸、厂房和开关站等组成。

江厦潮汐电站

堤坝建于厚达46 m的饱和海涂淤泥质粘土层上，采用粘土心墙堆石坝，最大坝高15.5 m。水闸设于堤坝和厂房之间，为5孔平底闸，建于凝灰岩上，利用原七一塘围垦工程排涝闸按电站双向运行要求加固而成。发电厂房建于水闸左侧的左岸，避免了设置于海涂软基上基础处理的复杂性。电站装机5台，总容量为3.2 MW，另留一个基坑备作潮汐发电新技术试验之用，可扩建至3.9 MW。

电站采用灯泡贯流式机组，可双向发电、双向泄水。双向运行工况转换无需停机，由调整桨叶转角和导叶开度来实现。1 号 0.5 MW 机组和 2 号 0.6 MW 机组采用行星齿轮增速。在 1 号机组试运行取得经验的基础上，其余几台发电机增容到 0.7 MW，并且采用水轮机与发电机直接联接。发电机转子因双向发电旋转方向不同，出线三相相序也随之变化，为了以固定相序的电源送入电网，采用倒向开关进行切换。电站开停机次数频繁，采用 SF6 断路器。

江厦电站是科学试验电站，主要研究潮汐能的特点、海工建筑物的金属问题、潮汐发电机组的研制以及综合利用等。电站的建设和运行取得了一定的科研成果，并且逐步积累了经验。采用外加电流阴极保护和刷防附着涂料的措施，在海水环境中基本没有发生金属构件腐蚀和海生物附着的情况，机组总体结构也未出现异常现象。电站机组经变压器升压至 35 kV 联入温岭地区电网，其不连续不均匀电量经由电网充分吸收。5 台机组全部投运后，年发电量最高达到 646 万 kW·h，最低为 504 万 kW·h，多年平均约 570 万 kW·h。由于各种因素的影响，维修时间较多，装机平均年利用小时数仅 1 781 h。

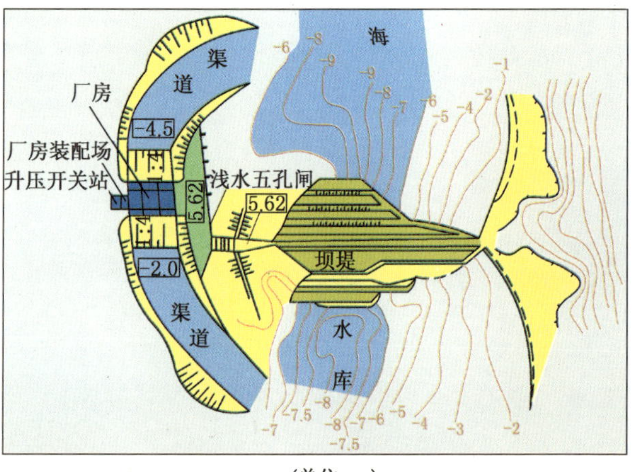

(单位：m)

江厦潮汐电站工程布置示意图

著名灌区及调引水工程

叁

SHUI GONG CHENG

47. 芍陂

——古代淮河流域最著名的蓄水灌溉工程

芍陂位于安徽省寿县城南 30 km 处，是古代淮河流域最著名的蓄水灌溉工程。隋唐后因陂址在安丰县境内，故又名安丰塘。此外，在历史文献中，还有“龙泉之陂”、“勺陂”、“期思塘”等称谓。

关于芍陂的创建，历史上有两种说法：一说是楚令尹孙叔敖所修，时间约在楚庄王十六年至二十三年（公元前 598—前 591 年）之间；一说是楚大夫子思所建，有人推测可能建在楚顷襄王时（公元前 298—前 263 年）。东汉班固的《汉书·地理志》最早记载芍陂及其水源。建初八年（公元 83 年），庐江（郡治今安徽庐江西）太守王景亲率吏民修浚芍陂。建安五年（200 年）扬州刺史刘馥兴治芍陂。其后，西晋初年刘颂、东晋末年毛修之、南朝宋初年殷肃等均修浚过芍陂。

北魏郦道元在《水经注》中对芍陂有较详的记载，芍陂当时有 5 个水门：淠水至西南一门入陂，其余四门均供放水之用，其中经芍陂渎与淝水相通的两个水门，可以“更相通注”，起着调节水量的作用。隋开皇年间（581—600 年），寿州总管长史赵轨修治芍陂，将水门改为 36 个。其后屡废屡建，至清末尚有 28 个。宋明道年

芍陂灌溉工程

间(1032—1033 年),安丰知县张旨对芍陂又作了较大规模的修治。明清两代对芍陂的修治多达 24 次,但规模都不大。

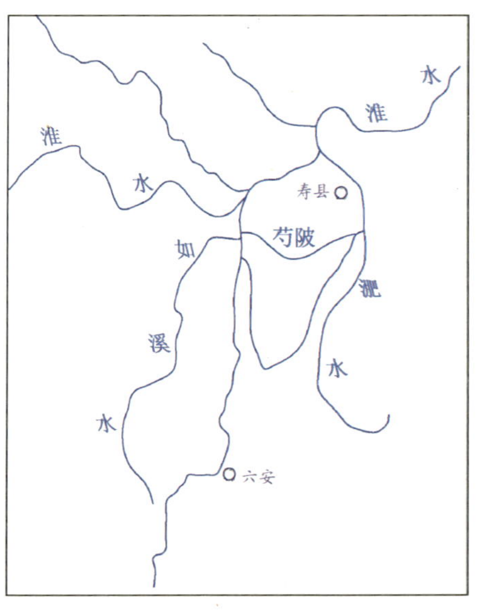

芍陂水系示意图

东晋伏滔在《正淮论》中最早提到芍陂的灌溉面积是“龙泉之陂,良田万顷”。其后,屡有变化,自 1 万余顷至数千顷不等,北宋时达到 4 万顷。芍陂的周长也有变化,北魏时是 120 里,唐宋时最大,达 324 里,清末仅 50 余里。芍陂面积减少的原因主要是豪强地主占湖为田。明成化(1465—1487 年)以后,占湖为田的情况日益严重,入陂渠道湮废,水源减少,终使湖泊大部分变成田地,湖体缩小。为防止盗掘和占垦,设置减水闸进行控制。清乾隆二年(1737 年)始在众兴集以南建筑滚水石坝。到民国年间,芍陂灌溉效益越来越低,1949 年实灌面积仅 5 333.3 hm^2。

中华人民共和国成立后,对芍陂进行了综合治理,开挖淠东干渠,沟通了淠河总干渠。芍陂成为淠史杭灌区的反调节水库,灌溉效益有很大提高。1959 年,安徽省文化局文物工作队曾在安丰塘越水坝地方发掘出一座汉代水利工程(草土堰)遗址,伴随出土的有汉代都水官铁锤等文物。工程被列为全国重点文物保护单位。

48. 郑白渠

——古代关中地区的大型引泾灌区

郑白渠

郑白渠为古代关中地区的大型引泾灌区，是秦代郑国渠和汉代白渠的合称，近代泾惠渠灌区的前身。

秦始皇元年（公元前 246 年），韩国水工郑国主持兴建郑国渠，10 年后完工。干渠西起泾阳，引泾水向东，下游注入洛水，全长 300 里，灌溉面积号称 4 万余顷。由于泾水含有大量泥沙，灌溉时既可补充作物需水，又可补充养分，改良了灌区内的盐碱地，农作物产量得到提高。郑国渠的建成直接支持了秦国统一六国的战争。据《史记·河渠书》载："于是，关中为沃野，无凶年。秦以富强，卒并诸侯"。

西汉太始二年（公元前 95 年），赵中大夫白公建议增建新渠，引泾水东行，至栎阳（今陕西临潼东北）注于渭水，名白渠。干渠长 200 里，灌溉面积 4 500 余顷。此后，灌区称郑白渠。《汉书·沟洫志》记载，当年广泛流传一首民谣："田于何所？池阳谷口。郑国在前，白渠起后。举臿为云，决渠为雨。泾水一石，其泥数斗，且溉且粪，长我禾黍，衣食京师，亿万之口"。前秦苻坚时期（357—385 年），曾发动 3 万民工对郑白渠进行整修。

唐代的郑白渠有 3 条干渠：即太白渠、中白渠和南白渠，又称三白渠。灌溉范围主要分布于今石川河以西，只有中白渠穿过石川河，在下邦县（今陕

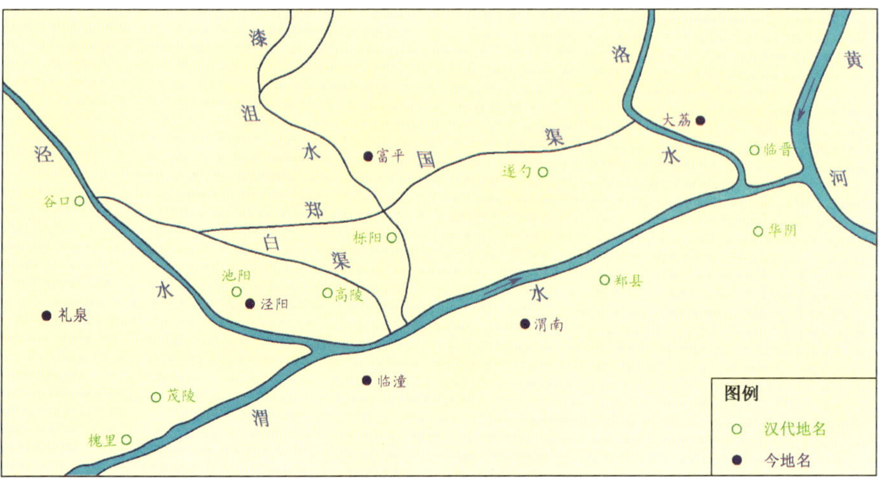

秦代郑国渠和西汉白渠示意图

西渭南东北 25 km)注入金氏陂。唐初郑白渠灌田 10 000 多顷,后来由于大量建造水磨,灌溉面积减少到 6 200 顷。当时郑白渠的管理制度在《水部式》中有专门条款。渠首枢纽包括有六孔闸门的进水闸和分水堰。分水堰被称为“将军”,长宽都有百步(唐代一步等于五尺),后毁于水。

宋代改用临时性梢桩坝,每年均需重修。由于泾水河床下切,引水困难,历代曾多次将引水渠口上移。主要有北宋大观二年(1108 年)的改建工程,共修石渠 3 141 尺,土渠 3 978 尺,灌溉面积号称 2 万余顷,并改称丰利渠。元初改渠首临时坝为石坝,至延祐元年(1314 年)王琚主持改建,渠首再次上移,延展石渠 51 丈,宽 1.5 丈,深 2 丈。因王琚官职为御史,改称王御史渠,灌溉面积曾达 9 000 顷。灌区有分水闸 135 座,并订立了一整套管理制度。

明代近 300 年间泾渠修治 10 余次。天顺至成化年间(1457—1487 年)将干渠再次上移 1.3 里,改称广惠渠。正德十一年(1516 年)又对干渠的一段进行裁弯取直,开新渠长 42 丈,深 24 尺,次年完工,称通济渠。此后,灌溉面积一再缩小。

中华人民共和国成立后,对泾惠渠灌区进行了扩建和改建,变成了陕西省主要的粮棉生产基地。

49. 都江堰

——世界现存历史最长的无坝引水工程

都江堰水利工程位于四川省都江堰市城西，是岷江上的大型引水枢纽工程，也是世界上年代最久、以无坝引水为特征的大型水利工程。工程以灌溉为主，兼有防洪、水运和城市供水等多种效益。都江堰灌区是中国灌溉面积最大的灌区。

都江堰始建于秦昭王末年（约公元前256—前251年），由秦蜀守李冰主持兴建。晋代称都安大堰、湔堰，唐代又名楗尾堰，宋代始称都江堰。经历代不断完善，成为由鱼嘴（分水工程）、飞沙堰（溢流排沙工程）和宝瓶口（引水工程）三大主体工程组成的无坝引水枢纽。

都江堰水利工程

鱼嘴建在江心洲顶端，把岷江分为内江和外江。内江为引水总干渠，由飞沙渠、人字堤和宝瓶口控制泥沙及对水量进行再调节；外江为岷江正道，以行洪为主，也由小鱼嘴分水至沙黑供右岸灌区用水。由于三大主体工程的合理规划布局和精心设计施工，枢纽工程发挥了有效的引水、防沙和排洪等综合作用。在适宜河段的恰当位置修建鱼嘴，能使枯水时内江多引水，洪水时外江多泄洪排沙；在河流弯段末端建飞沙堰，利用了环流作用，江水超过堰顶时洪水中夹带的泥石便流入到外江，这样便不会淤塞内江和

宝瓶口水道,以减免成都平原洪涝灾害。

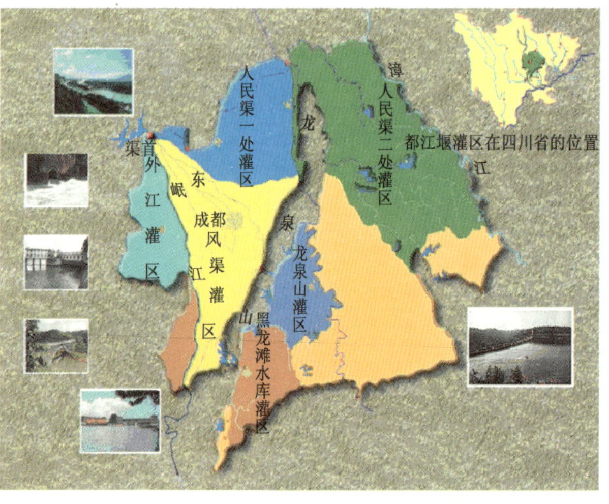

都江堰灌区图

古代都江堰以竹笼、木桩和卵石为主要建筑材料。以竹编笼内填卵石,用来建造鱼嘴、飞沙堰、内外金刚堤和人字堤等工程。每年维修需更换竹笼一万多条。为了减少维修工程量,历代水工和劳动人民不断谋求工程结构的改造,尤以鱼嘴为重点。元代曾以石料修砌鱼嘴,并在其顶端铸铁龟;明代修砌鱼嘴,前置铁牛分水;清代复用砌石鱼嘴。这些工程均因基础不稳,未能持久。1936 年改以竹笼为基础,前端与两侧护以木桩,其上修筑砌石鱼嘴。这个鱼嘴一直运用到 1979 年修外江闸时,砌石鱼嘴成为今鱼嘴的基础。20 世纪 60 年代以来,都江堰的其他工程也逐渐改为浆砌石、钢筋混凝土等结构,大大减少了岁修工程量。

中华人民共和国成立后,对都江堰工程进行了较大改建,灌区有了大规模的发展。加固了鱼嘴、飞沙堰、宝瓶口三大工程,调整和改建了内外江几条大干渠的引水口,新建了外江闸、沙黑河闸和工业取水口,在老灌区修建了 50 余座重要分水枢纽,改造了 3 万多条旧渠道。都江堰灌区由 1949 年的 19.2 万 hm^2 发展到 20 世纪 80 年代的近 73.3 万 hm^2,并在新灌区相应建造了黑龙滩、三岔、鲁班、继光等 10 座大中型水库,300 余座小型水库,以及许多渠系建筑物、中小型水电站和扬水站等。

灌区内的黑龙滩水库全景

50. 新疆坎儿井

——地下万里长城

坎儿井，早在《史记》中便有记载，时称“井渠”。坎儿井的结构，大体上是由竖井、地下渠道、地面渠道和“涝坝”（小型蓄水池）四部分组成。竖井，主要是为挖暗渠和维修人出入出土用的。暗渠是坎儿井的主体，明渠就是暗渠到农田之间的水渠。涝坝就是暗渠出水口，修建一个蓄水池，积蓄一定水量，然后灌溉农田。

地下渠道

吐鲁番盆地北部的博格达山和西部的喀拉乌成山，春夏时节有大量雪水和雨水流下山谷，潜入戈壁滩下。人们利用山的坡度，巧妙地创造了坎儿井，引地下潜流灌溉农田。

坎儿井并不因炎热、狂风而使水分大量蒸发，因而

流量稳定，保证了自流灌溉。吐鲁番的坎儿井总数近千条，全长约5 000 km。吐鲁番现存的坎儿井，多为清代以来陆续修建的。如今，仍浇灌着大片绿洲良田。

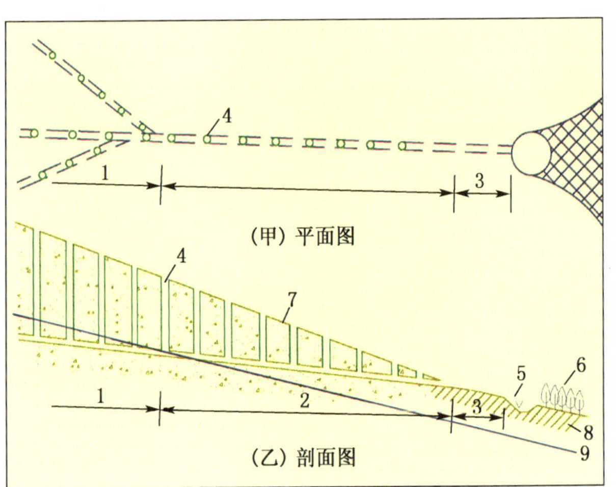

坎儿井工程示意图(注:选自《新疆地下水》)

1—地下渠道的进水部分；2—地下渠道的输水部分；
3—明渠；4—直井；5—涝坝(下储水池)；6—坎儿井灌区；
7—砂石；8—土层；9—潜水面

吐鲁番市郊五道林坎儿井、五星乡坎儿井，可供参观游览。

新疆劳动人民吸收了井渠法的施工经验，并将它应用到新的地理条件下，创造了这一新型的灌溉工程形式。坎儿井与万里长城、京杭大运河并称为中国古代三大工程。

51. 石津灌区

——中国渠道最长的灌区

石津灌区位于河北省中南部滹沱河与滏阳河之间的冀中平原，受益范围包括石家庄、邢台、衡水3个市，14个县，设计灌溉面积16.7万hm^2，有效灌溉面积16.7万hm^2。

石津灌区渠道

灌区年平均降水量488 mm，年平均蒸发量1 100 mm，属温带半干旱、半湿润季风气候，适于小麦、玉米和棉花等农作物及苹果、梨、桃等林果生长。

灌区是在原来“石津运河”的基础上，经过大规模改建配套建成的。岗南和黄壁庄两座联合运行的大型水库（1958年修建）是灌区的水源工程。两库设计总库容为27.81亿m^3，兴利库容为12.4亿m^3。灌区有总干渠、干渠、分干渠、支渠、斗渠、农渠6级固定渠道，计1.4万

灌区水源工程——黄壁庄水库大坝

条，总长1.1万km，各级各类建筑物1.4万座。总干渠全长134.7km，渠首设计流量100 m^3/s，加大流量120 m^3/s。在总干渠上游建有2×2.5MW的水电站1座。灌区实行以专业管理为主，专业管理与群众管理、民主管理相结合的管理体制。灌区管理局为灌区的专管机构，隶属河北省水利厅。灌溉站为灌区的群众管理组织，按渠系分片设立，负责支渠及其以下渠道工程管护和用水管理。灌区管理委员会为灌区的民主管理组织，定期召开会议，审议、决定灌区的重大事宜。

渠道水源工程——岗南水库

灌区实行"以亩配水，按量收费；三级配水，落实到村；包干使用，浪费不补；超计划用水，加倍征费"的原则。据统计，灌区粮食每公顷平均产量已由1957年的1 590 kg提高到1999年的11 200 kg。

52. 青铜峡灌区

——西北地区的塞外江南

青铜峡灌区位于宁夏回族自治区黄河冲积平原上，西依贺兰山，东濒鄂尔多斯台地，包括青铜峡、吴忠、灵武、永宁、银川、贺兰、平罗、石嘴山 8 个市、县。

青铜峡水利枢纽全景

青铜峡灌区地势南高北低，黄河贯流其中，水源丰沛，土壤肥沃，年平均降雨量约 200 mm，日照充分，适于发展灌溉农业。早在秦汉时期，就开渠引水灌溉农田，至今已有 2 000 多年的历史。中华人民共和国成立以后，对灌区进行了大规模的扩建改造。20 世纪 60 年代中期建成了青铜峡水利枢纽

青铜峡灌区下游景观之一

工程，结束了长期以来无坝引水的历史。灌区设计灌溉面积为 38.8 万 hm^2，农作物以水稻、小麦为主，兼种胡麻、甜菜等，为中国西北地区重要产粮区，被誉为“塞外江南”。

灌区分河东、河西两大系统，河西总干渠从坝下引水，下分西干、唐徕、惠农、汉延四大干渠；河东灌区分高、低干渠，高干渠由坝上引水，低干渠由坝下引水，下接秦、汉渠。灌区存在的主要问题：①灌溉用水量偏高，20 世纪 90 年代末以来，采取干渠防渗砌护，调整提高水费，推行计划用水及加强管理等措施，已收到显著成效。②银北地区处于灌区下游，排水不畅，地下水水位高，次生盐碱化影响产量提高，且还有大量可垦荒地。因此，在节约水源、提高单产和改变种植结构上都还有很大潜力。通过进一步改善排水条件，推行科学节水灌溉制度，加速盐碱地治理，将会对全自治区经济和农业的发展做出更大贡献。

53. 鸳鸯池水库

——中国最早应用现代筑坝技术建成的大型水库

鸳鸯池水库位于甘肃省金塔县城西南 12 km 处的佳山峡内。工程于 1943 年 6 月动工兴建，1947 年 5 月建成投入运行。当时称全国最大的土坝工程，为西北最大的水利工程。建国后，历经五次加固扩建，达到现有规模，是一座以蓄水、灌溉为主，兼有防洪、发电、养殖和旅游等综合效益的水库。

鸳鸯池水库主要由土坝、溢洪道、输水洞和水电站等几部分组成。

坝址以上流域面积 12 439 hm^2，多年平均年径流量 3.2 亿 m^3。总库容 1.048 亿 m^3，属大(二)型水库。土坝坝型为粘土心墙砂砾壳坝，全长 240 m，最大坝高 37.8 m。溢洪道总宽 76 m，最大泄流量 1 557 m^3/s，防洪标准达到 100 年一遇设计，2 000 年一遇校核。1974 年建成坝后电站一座，装机 3 台，1999 年电站扩建增容机组 1 台，总容量达 2.69 MW，设计年发电量 1 400 万 kW·h。

鸳鸯池水库与下游 4 km 处的解放村水库(总库容 3 905 万 m^3)和板滩水库(总库容 500 万 m^3)联合调度运行，担负鸳鸯灌区 8 个乡镇、2 个国营农林场 10.7 万人和 3.07 万 hm^2 耕地的灌溉防洪任务，是金塔人民赖以生存和经济社会发展的重要基础设施。“流进来碧水一潭，倒出去万石金粮”就是对鸳鸯池水库命脉作用的真实写照。原国防部长彭德怀、全国政协副主席钱

鸳鸯池水库

正英及国家水利部的多位领导都曾亲临水库视察。2002 年，鸳鸯池水库被国家水利部评为“国家水利风景区”。

金塔鸳鸯

鸳鸯池水库位于古丝绸之路要道，河西走廊大漠深处。鸳鸯池因是我国第一座大型土坝水库而享誉中国水利史，因位于丝路古道、大漠戈壁而被称之为“塞上明珠”。它东邻张掖，西迎敦煌，南连酒泉、嘉峪关，北通内蒙古额济纳旗。距酒泉卫星发射中心 200 km，312 国道从鸳鸯池东边而过，酒航公路横跨鸳鸯池北侧直通航天城。鸳鸯池以其独有的地理环境和自然美景，使敦煌成为从古代飞天到现代航天旅游热线上的一颗璀璨明珠。

鸳鸯池烽火台(汉代)

54. 人民胜利渠灌区

——建国后黄河下游第一个大型引黄自流灌区

人民胜利渠灌区位于河南省北部，是中华人民共和国成立后在黄河下游兴建的第一个引用黄河水灌溉的大型自流灌区。灌区总控制面积 1 486 km²，主要灌溉新乡、安阳、焦作市的 8 个县(市、区)47 个乡镇的 9.8 万 hm² 耕地。同时，还承担着新乡市城市供水和必要时向安阳、天津送水补源的任务。

工程设计流量 60 m³/s，加大设计流量 85 m³/s。工程于 1951 年开工，1952 年 4 月第一期工程建成。开闸放水当年受益。后经几次整修扩建，达到现有规模。1952 年 10 月 31 日，毛泽东主席亲临视察了人民胜利渠，在这

人民胜利渠取水口

次视察途中，发出了“要把黄河的事情办好”的伟大号召。渠首位于黄河北岸京广铁路黄河大桥以西 1 500 m 处秦广大堤上，对岸桃花峪为黄河中、下游分界处，故人民胜利渠位于黄河下游的最上端。

灌区属暖温带大陆性季风气候，年平均气温 14℃，无霜期 220 天，年平均水面蒸发量1 300 mm，年平均降水量 620 mm。土质以轻壤土和中壤土为主，主要种植小麦、玉米、棉花、水稻和花生等。人民胜利渠开灌以来，发挥了巨大的经济、社会和生态效益。开灌前灌区旱涝灾害频繁，社会经济十分贫穷落后。开灌后旱、涝、碱、沙灾害得到综合治理，粮棉产量逐年提高，20 世纪末粮食平均每公顷 14 250 kg，棉花每公顷 1 125 kg，分别是开灌前的 10.7 倍和 5 倍，同时还利用黄河泥沙沉沙改土，把低洼荒凉的盐碱地改造成高产稳产的农田，先后淤改土地达 6 000 多 hm^2。

人民胜利渠渠道

为了解决灌区耕地盐碱化问题，从 1954 年开始，灌区逐步实施计划用水，推行井渠结合，建立了一套水盐监测、水量调配制度，开展盐碱地改良的科学研究工作。在引黄泥沙淤积问题上，采用沉沙池集中处理，并积极开展渠系调整，提高渠道输沙能力，把泥沙输到田间，既减轻渠道淤积，又提高土壤肥力，为黄河下游引黄灌溉开创了先例。20 世纪 90 年代以来，灌区开始进一步进行节水减淤的技术改造工程，以适应社会经济发展的要求。

55. 淠史杭灌区

——中国丘陵地区灌溉面积最大的灌区

淠史杭灌区

淠史杭灌区位于安徽省中西部江淮之间的丘陵地区，系淠河、史河、杭埠河 3 个毗邻灌区的总称，是一个以灌溉为主，兼有发电、航运、水产和城乡供水功能的综合利用工程。

淠史杭灌区范围涉及六安、合肥、巢湖 3 个市 12 个县(市、区)，灌区总面积为 13 130 km^2，其中丘陵区占 84%，平原区占 16%。灌区年平均降水量为 1 006～1 104 mm，年平均蒸发量为 1 009～1 113 mm，年平均气温 14.9℃～15.7℃，无霜期 215～230 天。主要农作物为小麦、水稻。灌区于 1958 年开工，1959 年开始灌溉，以后逐年进行配套，设计灌溉面积达 73.3 万 hm^2，其中自流灌溉面积占 80%，提灌面积占 20%。到 2000 年，有效灌溉面积为 68.3 万 hm^2。灌区有骨干渠道(总干渠、干渠、分干渠、支渠)349 条，总长 4 730 km，渠系水利用系数 1999 年为 0.50。灌区灌溉面积和渠道设计引水流量见下表。

灌区的主要水源工程是淠河上的佛子岭、磨子潭、响洪甸，史河上的梅

灌区灌溉面积和渠道设计引水流量

灌　　区	设计灌溉面积 （万 hm²）	有效灌溉面积 （万 hm²）	设计引水流量 （m^3/s）
淠河灌区	44.0	41.0	330
史河灌区	19.0	18.2	145
杭埠河灌区	10.3	9.1	105

山和杭埠河上的龙河口 5 个大型水库。5 个水库的设计总库容为 65.93 亿 m^3，兴利库容汛期为 20.7 亿 m^3，非汛期为 30.15 亿 m^3。灌区内还有中型水库 24 座、小型水库 1 112 座、小型塘堰 21 万多处，总蓄水能力达 19.6 亿 m^3。这些工程不但对上游大型水库起到反调节作用，而且能调蓄当地径流，对灌区水量进行补给。此外，灌区内还有提水泵站 470 多处，总装机 75 MW，其中有补水站 39 处，每年可提取河、湖水 1 亿多 m^3，以补渠水之不足。

灌区内一景

区设灌区管理委员会，其常设机构为淠史杭灌区管理总局。灌区内各县(市、区)设有管理所，负责各自境内的灌溉管理工作。

灌区水源库大坝之一磨子潭水库

灌区水源库大坝之一佛子岭连拱坝

56. 江都水利枢纽

——连接长江、淮河水系的大型水利枢纽

江都水利枢纽全景

江都水利枢纽位于长江下游江苏省江都市境内，在京杭运河、新通扬运河与淮河入长江尾闾芒稻河交汇处，连接长江与淮河两大水系，是一个集调水、供水、灌溉、排水、通航、发电和改善生态环境等多项功能于一体的大型水利枢纽，也是江苏省江水北调和中国南水北调东线工程的起点站。

枢纽工程由4座大型电力抽水站、12座大中型水闸、3座船闸、2座涵洞、2条鱼道以及输变电工程、引排河道组成，其中4座抽水站共装有大型立式轴流泵机组33台套，装机容量53 MW，设计抽水能力为400 m^3/s，是目前我国乃至远东地区规模最大的电力排灌工程。

江都水利枢纽工程始建于1961年，1977年建成。工程抽引的长江水直接灌溉京杭运河及苏北灌溉总渠沿线，包括江都、高邮、宝应、淮安和阜宁等县(市)的20万 hm^2 水稻田。同时，通过淮安、淮阴、皂河、刘山和解台等梯级泵站提水，为淮北输送抗旱用水。当苏北里下河地区受渍涝威胁时，江都排灌站可以抽排江都、高邮等5县(市)的涝水，降低圩区水位，确保圩堤安全和农业高产稳产。当淮河来水较多时，在满足灌溉排水和运河航运用水条

件下，可利用有关节制闸启动江都3站可逆式机组发电（主泵呈发电机工况），其尾水可供里下河地区灌溉或排入长江。当京杭运河航运缺水和沿运河干线城镇缺水时，启动江都排灌站向运河补水，保证航运和城镇用水，甚至可把江水送至徐州市及连云港市。

江都排灌站中最大的四站厂房

工程自建成以来，年平均抽引江水158天，年均抽水量40亿 m^3，至今共抽江水北送1 000亿 m^3，排涝水300亿 m^3，自流引江水东送950亿 m^3，泄洪9 000亿 m^3，为苏北地区国民经济和社会事业的全面进步做出了巨大的贡献。党和国家领导人江泽民、朱镕基、温家宝、吴官正、杨尚昆、李先念等都曾先后来此视察，对工程给予了很高的评价。这里还先后接待了120多个国家和地区的客人。

江都排灌站

江都水利枢纽工程规划设计合理，施工质量优良，管理规范科学。1982年被评为全国优质工程，获国家金质奖。2001年被水利部确定为“国家水利风景区”。

57. 韶山灌区

——湘江流域中游丘陵地区以灌溉为主的综合利用工程

韶山灌区位于湖南省湘江流域中游的丘陵地区，灌溉湘乡市、湘潭县、宁乡县、双峰县、望城县和雨湖区等 6 个县(市、区)2 500 km^2 范围内的 6.67 万 hm^2 农田，是一个以灌溉为主，兼顾发电、航运、防洪、排涝、工矿及城镇生活用水等综合利用的大型水利工程。

灌区内年平均降雨量 1 400 mm，年平均蒸发量 1 200 mm，主要农作物为水稻。灌区 1965 年动工兴建，1966 年开始受益，1969 年配套工程全部完工。

整个工程由水库枢纽、引水枢纽和灌区工程 3 部分组成。

水库枢纽位于涟水中游双峰县水府庙，由大坝、电站、船闸组成。控制流域面积 3 160 km^2，正常蓄水位 94 m，总库容 5.6 亿 m^3。大坝为砌石重力坝，由溢流段与非溢流段组成，最大坝高 35.8 m。电站装机容量为 4×7.5 MW。船闸为单线双级，设计年货运量 70 万 t。

引水枢纽位于水库枢纽下游 18 km 处湘乡市洋潭，由拦河引水大坝、电站和斜面升船机及进水闸组成。大坝以上控制流域面积 5 050 km^2(包括水库控制的 3 160 km^2)。正常引水位 66.5 m，相应库容 0.21 亿 m^3，大坝坝高 12 m，电站装机容量 3×0.5 MW。斜面升船机设计年货运量 12 万 t，最大通航船只 20～30 t 木船。

韶山灌区水库枢纽

灌区工程包括渠道工程、渠系建筑

物、提灌工程、防洪排渍工程和小型塘坝工程等 5 部分。灌区渠道分总干渠和南、北干渠，其中北干渠渠首设计进水流量 45 m^3/s。设计灌溉保证率为 89%，年平均灌溉供水 550×10^6 m^3。渠道上共有渡槽 26 座、隧洞 10 处，共长 12.5 km，其他大小渠系建筑物 2 300 多处。

灌区建成后，沿渠百万亩农田旱涝保收。与工程建成前相比，双季稻种植面积由 25%扩大到 95%以上，粮食每公顷产量由 3 600 kg 增加到 15 000 kg 以上。沿渠 1 万 hm^2 山岗丘陵地得到开发，涟水沿岸 1 万 hm^2 粮食和经济作物免受洪涝灾害。每年供给 30 余家工矿企业生产、生活用水 4 500 万 m^3，降低企业生产成本 1 300 万元。灌区养鱼利用水面 8 700 hm^2。利用灌区水库和渠道水能资源建成中小型水电站 22 处，年发电量 1.4 亿 kW · h 左右。受益区的水果、生猪、湘莲、茶叶等农经产品产量大幅度增长。渠道绿化覆盖面达 100%，形成了乔木、灌木与草相结合的立体绿化格局，生态效益显著。

韶山灌区渠道

灌区管理局充分利用国家加大对大型灌区的更新改造投入的有利条件，依托科技，加大技术投入，进一步提高了灌区工程的标准，各种设施运转良好，确保了工程防汛保安，为工程综合效益的发挥打下了良好的基础。如节水增效技术成果的推广，洙津渡浮箱分离式水力自动泄洪闸和铃子桥虹吸自动泄洪设施的成功应用，干渠水位、闸位自动测控系统网络的顺利建立等。1995 年，水利部组织调查撰写的《韶山灌区工程后评估》报告表明，灌区工程益本比为 1.97，静态效益为 77.7 亿元，投资回收年限 5.13 年。灌区工程的经济效益、社会效益达到国内同类灌区先进水平。

58. 东深供水工程

——20世纪末世界最大的调水、净水工程

深圳水库

东深供水工程位于广东省东莞市和深圳市境内，是一项主要对香港、同时对深圳及工程沿线东莞城镇提供饮用水及农田灌溉用水的跨流域大型调水、净水工程。

输水工程全长 83 km，取水口设在东莞市桥头镇珠江水系东江右岸。经太圆泵站提水后，由渠道引至司马泵站，再经渠道引至石马河及雁田水河。沿河逆向布置旗岭、马滩、塘厦、竹塘和沙岭 5 级拦河闸坝，并在马滩、塘厦、竹塘和沙岭闸坝附近设置 4 级泵站，使水流逆向沿石马河及雁田水河 4 级提升，经 6 km 雁田隧道及生物预处理工程后进入深圳水库。最后，由深圳水库左副坝放水，经 4 台装机 1.6 MW 的水电站及压力钢管送入香港。

输水工程于 1965 年 3 月建成投产，年设计供水量为 0.68 亿 m^3。随着香港及沿线城镇社会经济的发展，需水量不断增加。应香港政府要求，该工程在 20 世纪 70 年代、80 年代和 90 年代进行了 3 次扩建，年设计供水量增加到 17.43 亿 m^3，其中对香港年设计供水量为 11.00 亿 m^3，对深圳年设计供水量为 4.93 亿 m^3。

生物预处理工程又称生物硝化工程，位于输水工程末端深圳水库库尾，

东深供水工程旗岭泵站

是东深供水工程的重要组成部分，于 1998 年 12 月建成投产。其作用是去除原水中以氨氮为主的多种污染物，为香港、深圳输送优质原水。该工程设计处理水量为 400 万 m^3/d，是 20 世纪末世界上最大的原水预处理工程。该工程主体——生物接触氧化池由 6 个有效长 270 m、宽 25 m、深 3.8 m 的过水池所组成，每个水池中布置 20 个长 12 m、宽 25 m、高 3 m 的填料方阵，采用弹性立体填料，池底布有穿孔管曝气装置，由 6 台风量为 555.6 m^3/min 鼓风机供气。在预处理池的右侧建有泄洪闸。

东深供水工程改变了香港地区长期严重缺乏淡水的困境。该工程供水量占香港总用水量的 80%左右，成为香港地区稳定和繁荣的一个重要因素，对深圳特区及东江—深圳沿线地区经济的快速发展也起着极其重要的作用。

世界最大的 U 型渡槽——东深供水

59. 引大入秦工程

——规模最大的跨流域调水自流灌溉工程

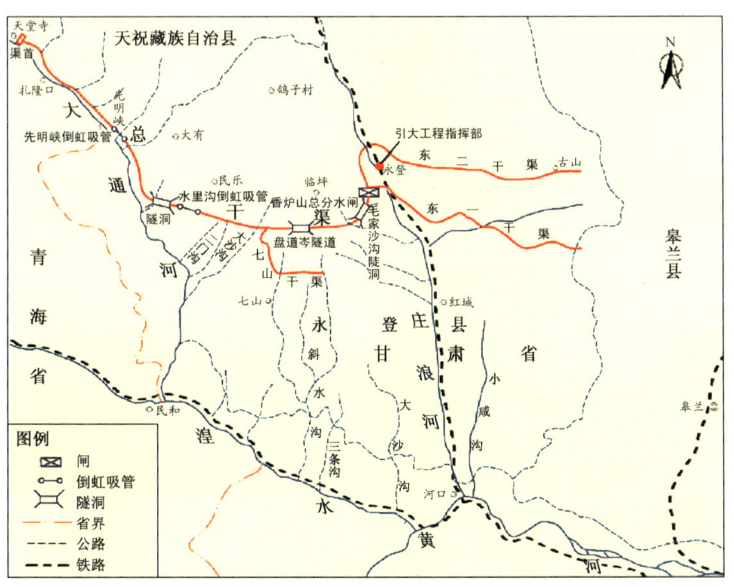

引大入秦工程平面图

引大入秦工程是甘肃省跨流域调水的大型自流引水灌溉工程，将发源于青海省境内的大通河水调至兰州市以北约 60 km 的秦王川地区。工程主要用于安置甘肃省东部贫困地区 8 万移民和解决灌区内 40 万人民的生产、生活用水，改善秦王川地区的生态环境，逐步增加植被，在兰州市北部形成绿色屏障，具有明显的经济、社会和环境效益。

引大入秦工程于 1976 年开工建设，主体工程于 1995 年建成通水。工程设计年自流引水 4.43 亿 m^3，灌溉面积 5.87 万 hm^2，年增产粮食约 1.5 亿 kg。工程由引水渠首、输水渠系及其建筑物和田间配套工程组成，总干渠从天堂寺引水渠首到甘肃省永登县香炉山总分水闸，全长 86.94 km，设计引水流量与渠首进水闸相同。在香炉山总分水闸将水分至东一干渠、东二干渠和 45 条支渠流入灌区。东一干渠全长 52.66 km，设计引水流量 14 m^3/s，灌溉面积 2.11 万 hm^2；东二干渠全长 53.62 km，设计引水流量 18 m^3/s，灌溉面积 3.38 万 hm^2。

引大入秦输水渡槽

引水及输水建筑物布置在绵延山岭地带，穿越崇山峻岭，输水线路长，支渠以上渠道总长度约 880 km；渠系建筑物多，且以隧洞群为主。

总干渠和干渠工程共有隧洞 71 座，总长度 110 km，隧洞所通过的地区自然条件十分恶劣，隧洞埋深大，岩石为软岩类，工程地质条件极为复杂，施工难度大。渡槽 38 座，其中东二干渠庄浪河高排架渡槽全长2 194.8 m；倒虹吸 3 座，其中先明倒虹吸设计水头 107 m，全长 524.8 m，采用直径为 2.6 m 的双排钢管，其规模在 20 世纪 70 年代中期居亚洲第一。

工程开工后，曾受建设资金和施工技术条件限制，于 1980 年停工缓建。1985 年工程复工建设时，在长距离隧洞施工中采用了新奥法等先进施工工艺和双护盾全断面掘进机、悬臂式掘进机、双臂掘岩台车、锤式掘进机等 20 世纪 80 年代中期具有世界先进水平的机械，以及国际上先进的管理模式，在施工中取得了多项技术突破：解决了长距离、大断面、软岩隧洞新奥法施工及超长距离施工通风、光面爆破等技术难题；双护盾全断面掘进机在隧洞施工中创造了年掘进 10 km 的优秀成绩，开创了一头进、一头出、一举贯通的先例和 10 km 以上隧洞施工采用 1 条通风管道通风的先例；双护盾全断面掘进机在 38 号隧洞施工中创造了日进尺 75.2 m 和月进尺 1 400 m 的 80 年代中期世界纪录。

引大入秦输水管道

自 1995 年建成通水以来，工程运行情况良好。截至 2000 年 12 月，灌区配套面积达到 3.33 万 hm^2，移民安置人数为 4.2 万人，取得了较好的经济、社会和环境效益。

60. 引滦入津工程

——跨流域引水的城市供水工程

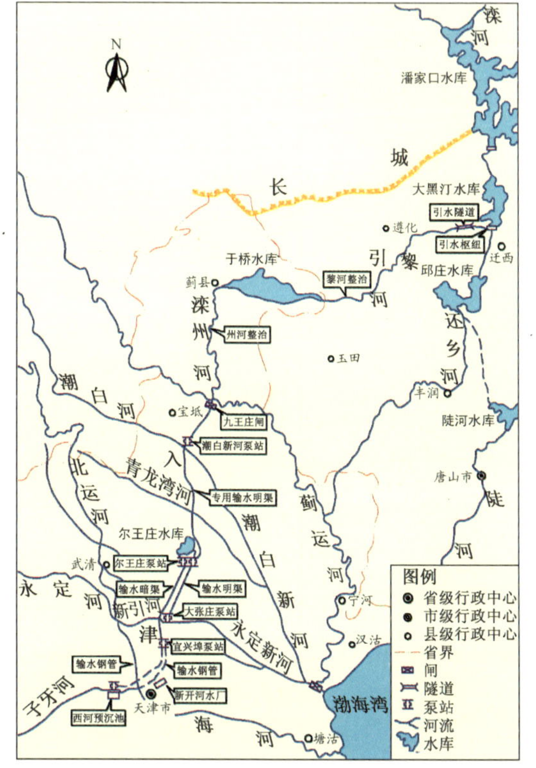

引滦入津工程示意图

引滦入津工程是将河北省境内的滦河水跨流域引入天津市的城市供水工程。水源地位于河北省迁西县滦河中下游的潘家口水库，在设计保证率75%时，向天津年供水10亿m³。

工程于1982年5月11日开工，1983年9月11日建成通水，总工期16个月，为20世纪80年代中国大型调水工程高速度建设的典范。

工程由潘家口水库放水，沿滦河入大黑汀水库调节。引水枢纽为引滦入津工程的起点，引水隧洞穿越分水岭之后，沿河北省遵化县境内的黎河进入天津市境内的于桥水库调蓄，再沿州河、蓟运河南下，进入专用输水明渠，经提升、加压由明渠输入海河，再由暗涵、钢管输入芥园、凌庄、新开河3个水厂。引水线路全长234 km。

工程由引水枢纽、引水隧洞、河道整治工程、于桥水库、尔王庄水库、泵站、输水明渠及其渠系建筑物等215项工程组成。

引水枢纽含入津、入唐 2 个水闸，引水流量分别为 60 m^3/s 和 80 m^3/s，分别向天津市和河北省唐山地区输水。

引水隧洞及进出口工程总长 12.39 km，其中洞长 9.66 km。隧洞采用圆拱直墙型，净宽 5.7 m，净高 6.25 m，沿线穿过罕见的特大断层长达 212 m。为保证工程质量，借鉴当代地下工程设计、施工的先进经验，采用新奥法并结合实际的新型设计与施工工艺。

引滦入津枢纽闸

整治河道 108 km，开挖输水明渠 64 km，修建倒虹吸 12 座、涵洞 5 座、水闸 7 座。

对已建的于桥水库加高加固后作为引滦入津工程的控制性调蓄枢纽，总库容 15.59 亿 m^3，坝体加高 1.2 m，坝基采用混凝土防渗墙及灌浆进行加固。

潘家口水库大坝

尔王庄平原水库为引滦入津工程的月调节水库，库容 4 500 万 m^3。

随着天津市经济发展与人民生活水平的提高，引滦入津主体工程迄今已逐步分流配水，扩大供水支干线 6 条，预应力混凝土管总长度达 414 km，新建泵站 8 座，年增供水量 2.58 亿 m^3。截至 2000 年，引滦入津工程已向天津输水 147 亿 m^3，发挥了巨大的社会效益、经济效益和环境效益。

大黑汀水库

61. 上海黄浦江上游引水工程

——中国最大的城市供水工程

上海黄浦江上游引水工程是提高上海市自来水厂原水水质的一项大型城市基础设施，也是中国最大的城市供水工程。工程规模为540万 m^3/d，分两期实施，取水位置在黄浦江松浦大桥附近、女儿泾出流口的上游，是上海地区黄浦江水质较好的地段。

工程1994年7月开工，1997年12月19日建成通水，总投资26.6亿元。

主要工程包括取水和增压泵站、输水渠道、穿越黄浦江的大型过江钢管以及相应的供电、仪表、通信调度工程等。

(1) 大桥取水建筑物。由4只直径8 m、深8 m的钢筋混凝土圆筒形取水建筑物组成，设置在黄浦江江心，4根全长140 m、直径3.5 m钢管延伸到泵房吸水井。

(2) 泵站。包括大桥、临江、严桥3座主泵站，泵站主要构筑物有泵房、调节池、调压池、闸门转换井和35 kV变配电间等。还有进入各水厂的调节提水泵站7座，总设计能力364万 m^3/d。

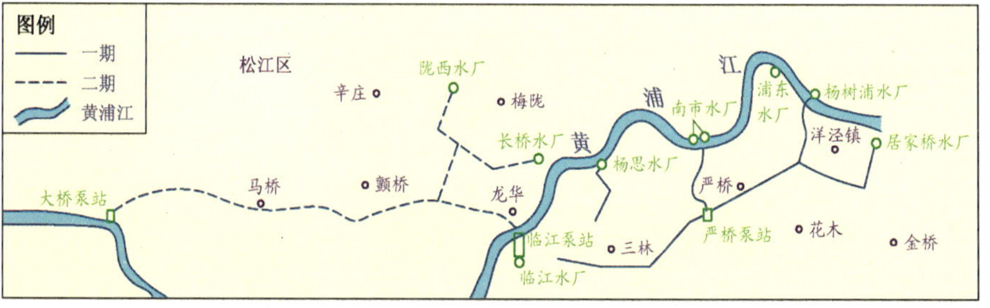

上海黄浦江上游引水工程示意图

临江泵站调节池

(3) 过江管。共有3处，在黄浦江江底通过。其中，临江过江管内径为4 m，长720 m，设计输水量310万m^3/d；杨浦水厂段过江管内径3 m，全长约1 200 m，包括过河段约600 m，设计输水量140万m^3/d；南市水厂段过江管内径3 m，全长1 120 m，设计输水量90万m^3/d。

(4) 渠道。输水干线为现浇钢筋混凝土暗渠，干渠总长约40 km，沿线设置透气井、溢流井、检修井和排水管等。

(5) 供电和检测调度通信工程。3座泵站供电电源均为2路35 kV同时供电，通信检测实施统一调度。

黄浦江引水工程在建设过程中，实施了多项新技术措施，主要有：大体积钢筋混凝土添加粉煤灰技术；大容量水泵(单台泵容量1.6 MW)采用的大功率串级调速装置和同步电机失步再整步技术；大口径钢管的水下顶进技术，大口径橡胶活接头，大型矩形断面的超声波流量计量技术以及PLC通信调度和检测系统等。

黄浦江引水工程的实施，取得了显著的社会、经济效益。取水点上移后，上海市供水水源水质获得很大改善，基本上可达国家规定的Ⅲ级水源水质标准。有机物含量较中下游原有水厂取水口的原水有所减少，使通过饮水发生和传播的疾病发病率相应降低。此外，由于受潮水上溯影响较小，氯化物降低，溶解氧增加，可降低市民心血管、脑血管、肾脏和高血压等疾病的发病率。

62. 南水北调工程

——跨越水系最多的调水工程

南水北调工程，即从长江下游、中游和上游分三条线路（东、中、西）分别向北方调水的工程的总称，形成与长江、黄河、淮河和海河相互联接的“四横三纵”水网格局。三条工程最终建成后，初步计划年调水总量约为380～480亿 m^3，接近于在黄淮海平原和西北部地区增加一条黄河的水量，基本改变我国北方地区水资源严重短缺的状况。

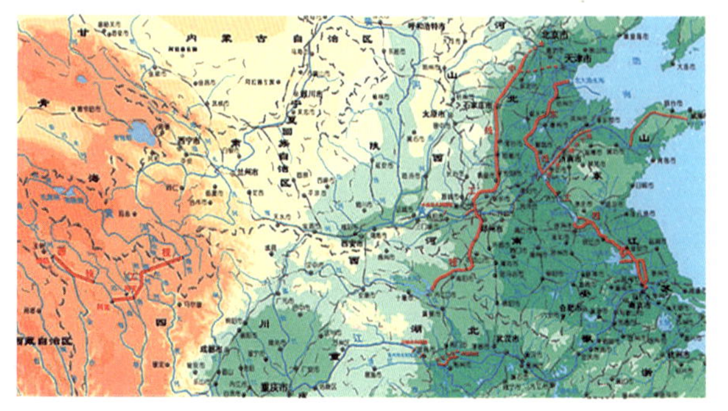

南水北调线路图

“南水北调工程”东线于2002年12月27日正式开工。中线穿黄工程于2005年9月27日正式开工，河南段2006年9月29日正式开工。

“南水北调”一词第一次见之于中央正式文献是1958年8月，中共中央在北戴河召开的政治局扩大会议上，通过并发出了《关于水利工作的指示》，明确指出：“除了各地区进行的规划工作外，全国范围的较长远的水利规划，首先是以南水（主要指长江水系）北调为主要目的，即将江、淮、黄、海各流域联系为统一的水利系统规划。”在此之前的1952年10月30日，毛泽东在听取有关引江济黄的设想汇报时说：“南方水多，北方水少，如有可能，借点水来也是可以的。”

南水北调中线水源库丹江口水库大坝

在党和政府的正确领导和关怀下，广大科技工作者持续做了50多年的南水北调科

研工作，进行了大量的野外勘查和测量，在分析比较50多种方案的基础上，形成了南水北调东线、中线和西线调水的基本方案，获得了一大批富有价值的成果。

工程在今后50年间分3个阶段实施，预计总投资将达4 860亿元人民币。

东线工程：利用江苏省已有的江水北调工程，逐步扩大调水规模并延长输水线路。东线工程从长江下游扬州抽引长江水，利用京杭大运河及与其平行的河道逐级提水北送，并且连接起调蓄作用的洪泽湖、骆马湖、南四湖和东平湖。出东平湖后分两路输水：一路向北，在位山附近经隧洞穿过黄河；另一路向东，通过胶东地区输水干线，经济南输水到烟台、威海。东线工程可为苏、皖、鲁、冀、津5省市净增供水量148亿 m^3。

中线工程：从加坝扩容后的丹江口水库陶岔渠首闸引水，沿唐白河流域西侧过长江流域与淮河流域的分水岭方城垭口后，经黄淮海平原西部边缘，在郑州以西孤柏嘴处穿过黄河，继续沿京广铁路西侧北上，可基本自流到北京、天津。

中线工程可缓解京、津、华北地区水资源危机，为京、津及河南、河北沿线城市生活、工业、农业增加供水约100亿 m^3，大大改善供水区生态环境和投资环境，推动我国中部地区的经济发展。

西线工程：在长江上游通天河、支流雅砻江和大渡河上游筑坝建库，开凿穿过长江与黄河的分水岭巴颜喀拉山的输水隧洞，调长江水入黄河上游。西线工程的供水目标主要是解决涉及青、甘、宁、内蒙古、陕、晋6省（自治区）黄河上中游地区和渭河关中平原的缺水问题。结合兴建黄河干流上的骨干水利枢纽工程，还可以向邻近黄河流域的甘肃河西走廊地区供水，必要时也可相机向黄河下游补水。西线工程3条河调水约200亿 m^3，可为青、甘、宁、内蒙古、陕、晋6省（区）发展灌溉面积200万 hm^2，提供城镇生活和工业用水90亿 m^3。同时，能促进西北内陆地区经济发展和改善西北黄土高原的生态环境。

规划的东线、中线和西线到2050年调水总规模为448亿 m^3，2002—2010年为实施南水北调工程近期阶段，总调水规模约200亿 m^3；2011—2030年为中期阶段，调水规模约增加168亿 m^3，累计达到368亿 m^3 左右；2031—2050年为远期阶段，年总调水规模约增加80亿 m^3。

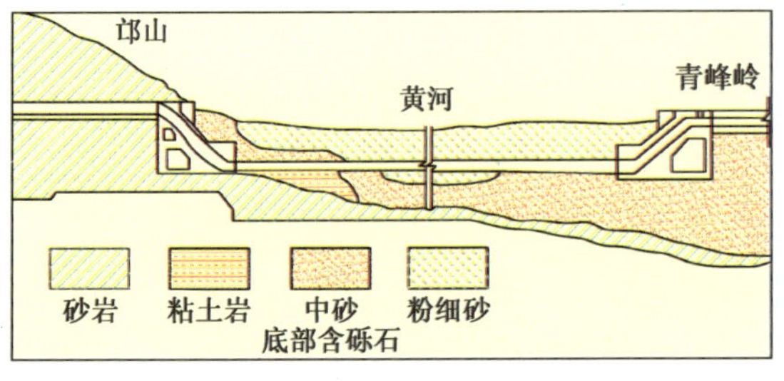

南水北调中线穿黄工程剖面图

63. 恩施橡胶坝

——中国已建最高的橡胶坝

恩施橡胶坝位于湖北省恩施市清江河上。工程建成后，将清江水位抬升 6 m，形成长达 4.27 km 的回水区，实现蓄水 100 多万 m^3，使清江在恩施城区形成人工湖，而且对于改善清江水质起到重要作用。

恩施橡胶坝坝底宽 64 m，坝顶长 96 m，坝高 6 m，是中国已建挡水最高的橡胶坝。它与恩施市临河而建的亲水走廊、江滩公园、五峰山连在一起，构成山水交融的独特风光，为恩施自治州城区添上了一处人文景观。

工程于 2004 年 9 月 6 日正式开工建设，2005 年 5 月 7 日开始安装橡胶坝袋，5 月 14 日完成安装，8 月 12 日试充水取得一次成功。工程总投资 2 500 万元左右。

由于该工程地处城市中心，坝址周围民房密集，并且需要在一个枯水期内实施二次导截流，完成两期围堰填筑，对施工环境和工期要求都十分严格。施工单位不断探索优化施工方案，不仅大大缩短了围堰施工时间，而且降低了工程成本。

恩施橡胶坝

恩施橡胶坝的建成，是对我国《橡胶坝技术规范》SL 227—98 的重大突破，标志着我国采用新型高分子复合材料筑坝进入了一个新阶段，也标志着我国橡胶坝的设计、制造进入了一个新时期。

橡胶坝具有结构简单、

抗震性能好、可用于大跨度、施工期短、操作灵活、工程造价低等优点。因此,在许多国家得到了快速的应用和发展,特别是日本,从 1965 年至今已建成 2 500 多座,我国从 1966 年至今也建成了 400 余座。已建成的橡胶坝高度一般为 0.5～3.0 m。橡胶坝的缺点是:坝袋坚固性差;橡胶材料易老化,要经常维修,易磨损,不宜在多泥沙河道上修建。

我国的橡胶坝推广应用是在经历了近 40 年的曲折历程,在不断解决工程应用中一系列技术和质量问题之后逐步发展起来的。

橡胶坝示意图

64. 大伙房水库输水工程

——世界上在建的最长隧道

一期工程施工现场

大伙房水库输水工程包括从辽东向抚顺大伙房水库调水的一期工程和从大伙房水库向受水城市输水的二期工程，其中一期工程的输水隧道长85.3 km，直径8 m，是世界上在建的最长隧道。一期工程于2003年3月开工建设，二期工程已于2006年9月19日动工。

辽宁省是一个水资源严重短缺的省份，除东部地区外，其他地区都属于联合国规定的严重贫水区。该工程的主要任务是将辽东山区优质充沛水源调入大伙房水库，再由大伙房水库输水送到辽宁中部的沈阳、抚顺、辽阳、鞍山、盘锦、营口6市，以解决该地区百年内用水问题。它还可以替代地下水，解决中部地下水超采和海水倒灌问题。受益人口近1 000万人。输水工程全部采用隧洞和管道封闭输水，送达6市的配水量近18亿 m^3。总长约231 km的输水管道穿越7条铁路、80条道路、22条河流、52条管道和26条光缆。

一期工程中的六河段，尽管全长仅有140 m，但因其埋深达63 m，且处于3条断层交汇带，岩石破碎，透水性极强，是整个大伙房水库输水工程地质

大伙房水库

条件最复杂的地段。鉴于该洞段开挖的复杂性和艰巨性，采用了超前预注浆和超前管棚的施工方案。施工中使用了世界先进技术进行地质超前预报，以掌握前方围岩的地质情况，先后完成超前预注浆钻孔及扫孔 15 487 延长米，管棚施工 4 332 m，化解了围岩破碎、渗漏水严重带来的施工难题，成功处理了多起涌水、塌方等突发性地质灾害，在安全无事故的前提下，创造了世界上复杂地质条件下开挖隧洞的奇迹。

著名航道、运河与港口

肆

SHUI GONG CHENG

65. 川江航道

——中国西南地区通往东部的主要水运通道

川江

长江上游四川省宜宾市至湖北省宜昌市全长1 045 km河段的航道，俗称“川江”。川江与金沙江及长江支流岷江、沱江、嘉陵江、赤水河和乌江等构成中国西南地区的水运网，成为西南地区通往华中、华东和沿海地区的主要水运通道。

川江航道历来以弯、窄、浅、险著称。川江上段宜宾市至重庆市385 km河段位于丘陵地带，河谷较宽阔，河段宽窄相同，枯水期滩上的表面流速一般为3.0 m/s左右，除少数几个险滩外，水流流态一般都比较好；川江下段（三峡航道）重庆至宜昌660 km江段，水位落差达125 m，有险滩139处，威胁着长江三峡行船安全。

长江航道上的“指路灯”

1949年以后，开始对川江航道进行开发，共整治各类滩险123处。葛洲坝水利枢纽工程于1981年截流运用后，常年回水区至香溪，长约70 km的航道得到了改善。经过综合整治，宜昌至重庆段航道尺度水深提高到2.9～3.2 m，航宽60 m，曲率半径750 m，枯水

满载集装箱的货轮通过三峡航道

期大型客货船队可昼夜航行；重庆至宜宾段 385 km 的航道尺度水深提高到 2.7 m，航宽 50 m，曲率半径 560 m，枯水期可通航 1 000 t 级的驳船船队。

川江航道整治是我国大型山区河段整治成功的范例，航道天险得到很大改善。由于滩险碍航的原因不同，因而整治方法也有差异。对于急滩，多采用清炸滩口航槽，扩大过水断面，并在其下游筑坝壅水，减小滩口比降和流速。或者利用急滩的形态，改对口为错口，可使船舶利用凸嘴上、下的缓流区，从一岸过渡到另一岸上航过滩。对于一岸险和一岸浅的弯道险滩，视河面宽窄情况，多采用在凹岸深槽的上半部建潜坝，减小深槽水深和单宽流量，或在凹岸上游建丁坝，将主流挑出，这样可使险和浅的问题同时得到解决。对于浅滩，采用整治与疏浚相结合的方法，建丁坝、顺坝缩窄河宽，集中并引导水流冲刷航槽，达到设计航深的要求，如浅区床面卵石结构紧密，需结合疏浚。

举世瞩目的长江三峡工程建成以后，库区回水可达重庆市以上 60 余 km，川江约 680 km 的航道得到改善。数学模型和物理模型试验研究结果表明，万吨级的船队每年约有半年的时间可直达汉渝，下行运量能力可达 5 000 万 t。但是，也存在坝区、回水变动区和库区支流壅水区的泥沙淤积对港口、航道的影响问题。

66. 大源渡航电枢纽

——第一个以电养航的航电枢纽工程

大源渡航电枢纽位于湖南省衡山县湘江干流上，距衡阳市 62 km，是湘江衡阳至城陵矶段千吨级航道的第一个以电养航的枢纽工程，也是交通部在内河进行“航电结合、以电促航”的试点工程。工程以渠化、提高航道等级、满足大型船队水上运输为主，兼顾发电效益，同时满足防洪、灌溉和旅游等要求。

大源渡航电枢纽

工程由混凝土闸坝、河床式厂房、船闸及土质副坝组成。坝址控制流域面积 5.32 万 km^2，多年平均径流量 441 亿 m^3。水库正常蓄水位 50.00 m，库容为 4.51 亿 m^3，闸坝设计洪水标准为 50 年一遇，校核洪水标准为 500 年一遇。

闸坝总长 533 m，共设 23 孔，露顶式弧形门，自动控制液压启闭。副坝最大坝高 32.5 m。电站最大水头 11.24 m，属中型电站。厂房布置于右岸，安装 4 台 30 MW 灯泡贯流式水轮发电机组，总装机容量 120 MW，年均发电量 5.85 亿 kW・h；机组最大运行水头 11.24 m，最小运行水头 2 m，额定水头 7.2 m。在多雨地区首次采用厂房活动屋盖（活动、手动），尺寸为 10 m×15 m 和 30 m×15 m。电站清污机集清污、输污、拦污栅吊置于一体。船闸布置于左岸台地，单级船闸尺寸 180 m×23 m×3 m，运河全长 2 300 m，为凸岸裁弯取直。水库蓄水期断航时间为 45 d。

工程于 1995 年 12 月 20 日开工，1998 年 12 月底第 1 台机组并网发电、船闸正式通航，1999 年 10 月第 4 台机组发电，2000 年 5 月竣工，比原工期提前半年建成，创造了国内同等规模枢纽工程首台机组发电和施工断航期最短两项佳绩。

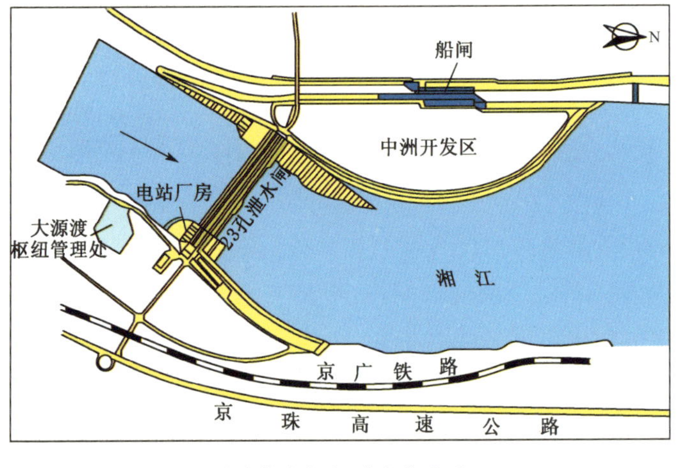

大源渡航电枢纽总体布置图

大源渡航电枢纽的建成，为湘江进一步开发利用提供了稳定的资金来源，也为内河航运发展多元化筹资树立了成功的典范。工程的正常运行，标志着我国在内河航运发展中实施的“航电结合、以电促航”的滚动发展战略取得了巨大成功。

大源渡航电枢纽船闸

67. 天津港

——中国最大的人工海港

天津港位于渤海湾西岸海河入海口处，在京津城市带和环渤海经济圈的交汇点上，是中国最大的人工海港，也是华北地区重要的国际贸易大港。

天津港的历史最早可以追溯到汉代，自唐代以来形成海港。1860 年正式对外开埠，是我国最早对外通商的港口之一。塘沽新港始建于 1939 年，建国后经过 3 年恢复性建设，于 1952 年 10 月 17 日重新开港通航。

天津港是在淤泥质浅滩上人工挖海建港、吹填造陆建成的，是中国最大的人工港。现有水陆域面积近 200 km^2，其中陆域面积 47 km^2，规划到 2010 年港口陆域总面积达 100 km^2。目前，主航道长 44 km，航道底宽最宽达 260 m，航道水深最深已达 19.5 m，20 万 t 级船舶可以随时进港，25 万 t 级船舶可以乘潮进港。天津港主要分为北疆、南疆、东疆和海河四大港区，共拥有各类泊位 140 余个，岸线长 18.1 km，生产用泊位 78 个，设计通过能力 21 399 万 t，集装箱通过能力 525 万 TEU。北疆港区以集装箱和杂货作业为主；南疆港区以干散货和液体散货作业为主；海河港区有 6 000 t 级以下泊位 15 个；东疆港区为天津港的一个新港区，规划面积为30 km^2。

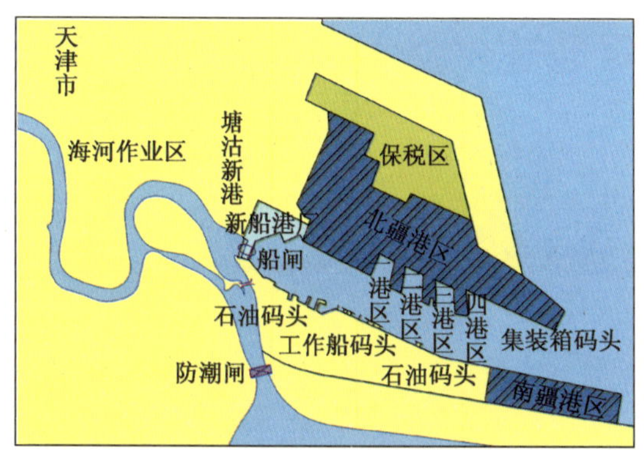

天津港港区位置示意图

天津港经济腹地广阔，发展潜力巨大。目前，天津港能够服务和辐射的范围包括京、津、冀及中西部地区的 14 个省、市、自治区，总面积近 500 万

km^2，占全国国土面积的52%。天津港70%左右的货物吞吐量和50%以上的口岸进出口货值来自天津以外的各省区，对腹地的辐射力和影响力较强。

随着环渤海经济的振兴、中部崛起和西部大开发的推进，天津港腹地经济发展潜力巨大，为天津港提供了良好的条件。2005年，天津港完成货物吞吐量2.4亿t，居世界港口第6位。集装箱完成480万TEU，居世界集装箱港口第16位。

天津港的现代化水平全国领先。通过广泛采用新技术、新装备、新工艺，天津港的港口现代化、信息化程度在全国港口中位居前列。天津港拥有世界上最先进的连续装卸船设备，南疆港区采用的10 km长皮带长廊煤炭输送技术创世界之最。天津港建立了国际贸易与航运服务中心及电子口岸，可为客户提供快捷、高效的口岸“一站式”服务。

天津港

68. 大连港

——中国东北地区最大的综合性海港

大连港港区示意图

大连港位于辽东半岛南端的大连湾，东濒黄海，西临渤海，南隔渤海海峡与山东蓬莱遥遥相望。大连港是我国东北地区最大的综合性海港，也是仅次于上海、秦皇岛的全国第三大海港，有“北方明珠”之称。

大连港气候温和，冬季港区不结冰，是我国北方四季通航的天然良港。港区辽阔，陆域面积 8 km^2，水域面积 346 km^2，平均水深 10 m，最深处为 33 m。海湾沿岸无大河流入海，附近也无海域泥沙流影响，港内无淤积现象。

19 世纪以前，大连港是中国对外交通的重要口岸。1898 年，沙皇俄国强租旅大后，于 1899 年宣布大连港为自由港，并开始建商港。1905 年，日本占领大连后，继续扩建码头。1945 年，苏联红军接管大连港，并于 1951 年移交还中国。经过扩建和新建，到 1999 年底，大连港有装卸生产泊位 73 个，其中万吨级以上泊位 39 个，最大泊位为 10 万 t 级，另有万吨级浮筒泊位 3 个，铁路专用线 146.1 km，输油管线 88.6 km。大连港公共装卸生产码头分布于 8 个港区。

(1) 寺儿沟港区。有栈桥式码头4座，装卸生产泊位6个，其中万吨级以上泊位4个。

(2) 大港港区。有突堤式码头4座，顺岸码头3座，装卸生产泊位22个，其中万吨级泊位9个。

(3) 香炉礁港区。有突堤式码头2座，装卸生产泊位8个，其中万吨级以上泊位2个，5 000～7 000 t级泊位6个。

(4) 甘井子港区。有钢栈桥式码头1座，装卸生产泊位3个，其中万吨级以上泊位2个。

(5) 鲇鱼湾港区。有栈桥式原油码头1座和栈桥式成品油码头2座，其中原油码头有泊位2个，可停靠30 000～150 000 t级油轮；成品油码头有泊位4个，可停靠3 000～50 000 t级油轮。

(6) 大连湾港区。有深水泊位5个，可同时停靠3万t级船舶3艘。

(7) 大窑湾港区。共有深水泊位8个，其中集装箱专用泊位5个，可靠泊第四代、第五代集装箱船。港区拥有从新加坡引进的世界上最先进的CITOS—1计算机码头操作系统，具有年处理300万TEU的能力。此外，还有2.5万t级杂货泊位2个和中国规模最大、现代化程度最高的8万t级散粮泊位1个。

(8) 黑嘴子港区。有6 000 t级泊位8个。

大连港

69. 南京港

——中国吞吐量最大的内河港口

南京港位于长江下游的江苏省南京市，距吴淞口 347 km，是中国吞吐量最大的内河港口。

南京港具有悠久的历史。早在三国时就成为军港和商港，元代和明代时期是南粮北运起运港口之一，也是明代航海家郑和下西洋的基地港。1882 年，南京建成了第一座趸船式轮船码头。中华人民共和国成立后，对南京港进行了改造与大规模扩建。特别是改革开放以来，南京港获得了突飞猛进的发展。1978 年油港开业，南京港成为我国内河最大油港。1984 年新生圩外贸港区建成，南京港成为我国内河最大的外贸港口。1987 年，中美合资南京国际集装箱装卸有限公司成立，南京港成为我国内河专业化程度最高的集装箱港口。1990 年，南京港惠宁码头有限公司成立，南京港成为我国内河最先进的专业化散货装卸港口。2002 年底商品汽车滚装泊位正式投入使用，南京港又成为长江上惟一拥有专业化滚装泊位的港口。2004 年 3 月底，龙潭集装箱港区试投产，新增 52 万 TEU 吞吐能力。南京港在内河港口的地位更加显赫，已成为我国华东地区及长江流域地区江海换装、水陆中转、货物集散和对外开放的多功能的江海型港口，2005 年货物吞吐量已突破亿吨。

南京港

南京港航道水深，港区宽阔，自然条件良好。自龙爪岩至燕子矶，航道维护水深 10.5 m，宽大于 200 m，航道转弯半径远远大于 5 倍通航船舶的船长，满载吃水 9.7 m 以下的海船可常年通航。南京港公共装卸生产码头主要分布在上元门港区、浦口港区、新生圩港区、栖霞港区和仪征港区。

南京港经济腹地深入长江水系 12 个省（直辖市）。铁路有津浦、沪宁、宁铜 3 条干线在此交汇。公路有宁沪、宁合、宁扬、宁杭和宁芜等线。水路顺长江东下 347 km 到吴淞口。除长江干支流外，还可东通京杭运河，北至淮河水系，南入太湖。港区又是鲁宁输油管线终端。

为进一步增强南京港的总体竞争力，“十一五”期间，南京港将开工建设一批包括龙潭港区二期工程、三期工程，南京化工园通江集一期工程，南京化工园西坝港区起步工程等重点项目，进一步调整港区功能，以运输枢纽性港区建设为中心，加强集装箱、矿石、煤炭和化工品等主要货种码头建设。

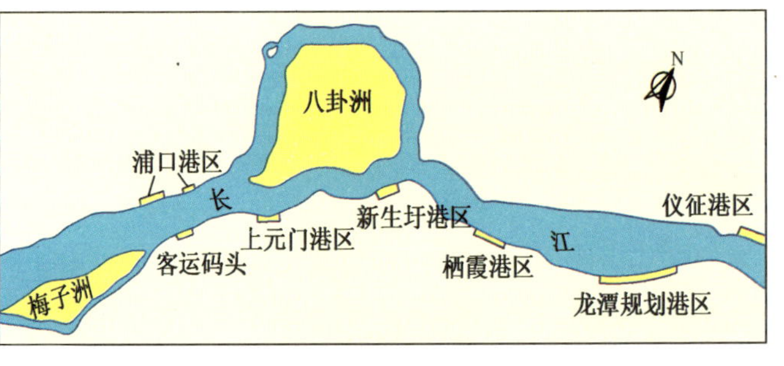

南京港港区示意图

70. 上海港

——世界最大的货运港口

上海港

上海港位于我国大陆海岸线中部长江三角洲前缘，地处长江东西运输通道与海上南北运输通道的交汇点，是中国第一大港，也是世界最大货运港口。2006 年货物吞吐量位居世界第一，集装箱吞吐量世界第三。

早在公元 746 年的唐代，就在青龙镇（今青浦县东北）发展港口，供船舶往来停靠。进入宋代，青龙镇被称为“江南第一贸易港”。后因河道淤浅，约 1265 年港口易址上海镇，并设市舶提举公司。1403—1404 年，经大规模整治，形成黄浦江。1840 年鸦片战争后，上海港被迫对外开放。1853 年起，上海超过广州成为全国最大的外贸口岸。19 世纪 70 年代后，上海港成为全国的航运中心。20 世纪初，黄浦河道局对吴淞口和黄浦江的局部河段进行了整治和疏浚，万吨级船舶可以乘潮进入黄浦江，适应了当时船型发展和经济发展的要求。20 世纪 30 年代，上海港已经成为远东航运中心，年货物吞吐量一度高达 1 400 万 t；船舶进口吨位居世界第七位，上海成为世界上重要的港口城市。

上海港

新中国成立后，开辟了张华浜、军

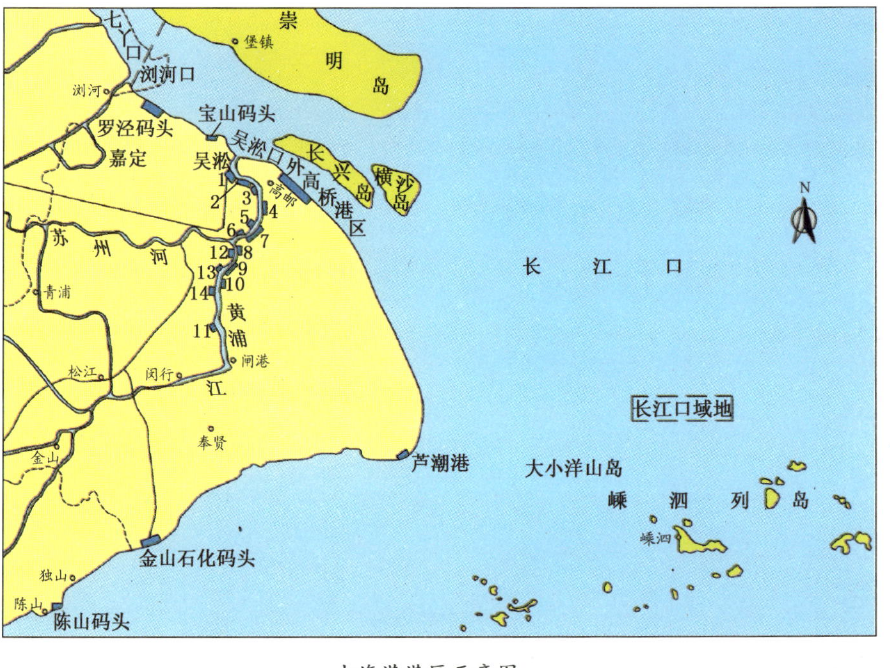

上海港港区示意图

1—张华浜港区；2—军工路港区；3—共青路港区；4—民生港区；5—汇山港区；
6—高阳港区；7—新华港区；8—东昌港区；9—煤炭港区；10—南滩港区；
11—关港港区；12—十六铺码头；13—复兴码头；14—开平码头

工路、共青路、朱家门、龙吴五个港区，在长江口南岸建了宝山、罗泾和外高桥港区。此外，宝钢集团、石洞口电厂、外高桥电厂等也各自建了专用码头，上海港吞吐能力不断扩大，对上海市的建设和长江流域以及全国经济发展发挥了重要的促进作用。2005 年 12 月 10 日，洋山深水港区一期工程建成投产，洋山保税港区同时启用，标志着上海国际航运中心建设取得了重要的阶段性成果。截至 2006 年底，上海港港区拥有各类码头泊位 1 140 个，其中万吨级以上生产泊位 171 个，码头线总长为 91.6 km。内河港区有码头泊位 818 个，最大靠泊能力 3 000 t 级。

2006 年，上海港共完成货物吞吐量 5.37 亿 t。其中，海港货物吞吐量 4.7 亿 t，保持了世界第一大货运港地位；内河港口完成货物吞吐量 0.67 亿 t。完成集装箱吞吐量 2 171.9 万 TEU，占全国规模以上港口集装箱量的 24%，在世界集装箱港口中继续位居第三。

71. 武汉港

——华中地区吞吐量最大的河港

武汉港位于湖北省东部长江和汉水汇合处的武汉市，是中国华中地区最大的河港，也是长江中游的重要交通枢纽。

武汉港始建于东汉末年。三国时武昌南市即为船舶集中的港口。宋代以后港埠移至汉阳。明代汉口港埠兴起。1858 年，在不平等的《天津条约》中，武汉被列为对外通商口岸。至 1949 年，港口作业区集中在汉口岸侧和汉水两岸，多为小型浮码头和缆车道，年吞吐量 100 多万 t。1952 年，交通部成立武汉港务局，对老码头进行技术改造，并且大量扩建新港区，使武汉港得到迅速发展。至 1999 年底，共有装卸生产泊位 64 个，码头线长 7.57 km；前沿水深一般在 6 m 左右，可系泊 3 000 t 级船舶；港区铁路线长 25.6 km。

武汉港港区示意图

武汉港以武汉市为依托，腹地辽阔。铁路有京广、汉丹、襄渝、武大 4 条干线；公路以 107、316、318 国道、京珠高速、沪蓉高速和 8 条省级干道为主，形成以武汉为中心的公路网。城市有机场两座，民用航空线 10 条，过境航线 15 条，可直达全国 173 个城市，并且已开通直达香港的包机。以长江为主的航运水系，连接我国中部的江河湖泊，构成庞大的水运网络。顺长江东下，至上海 1 102 km，连接鄱阳湖、巢湖、太湖支流；溯长江而上，至重庆 1 278 km，连接洞庭湖和湘、资、沅、澧支流，溯汉江西去，至襄樊 532 km，连接白河、唐河

武汉港客运码头

支流。武汉港承担华中、华北、华东和西南的煤炭、钢铁、矿石和粮杂等运输，以及袋粮、土特产、轻纺产品的外贸进出口。2000 年，武汉港完成货物吞吐量 1 737.8 万 t，居中国大陆港口第 20 位；完成集装箱吞吐量 3.01 万 TEU。

武汉港港区江面宽阔，流速较慢。主航道水深在枯水期一般为 3.5 m 左右，洪水期一般为 9～10 m。

武汉港下辖汉阳、汉口、江岸、青山、阳逻和沌口 6 个港区。

72. 广州港

——华南地区的综合性主枢纽港

广州港位于珠江三角洲的广州市郊，是中国华南地区的综合性主枢纽港。

公元前 200 年的秦汉时代，广州港就已成为中国南方对外贸易的门户。唐代至清代的 1 000 多年间，除南宋和元代外，该港是中国对外贸易的首港。鸦片战争前是中国惟一对外开放口岸。1842 年成为五口通商之一。辛亥革命后，孙中山先生在其《建国方略》中提出在老广州港的下游黄埔建设南方大港的主张。1937 年建成顺岸码头，长 400 m，并浚深通海航道；1948 年第二期工程建成长 1 250 m 的码头和仓库，成为可靠泊万吨级以下海轮的港

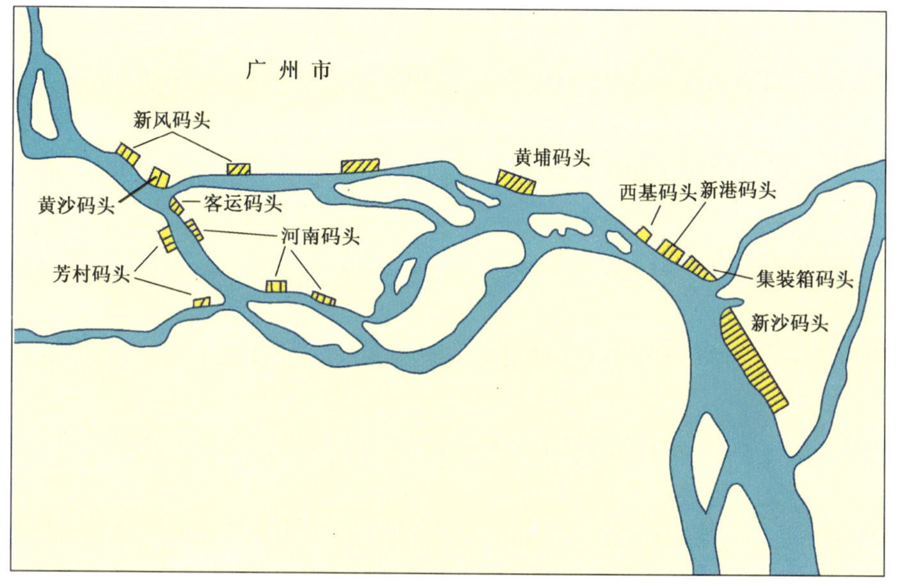

广州港平面布置示意图

口。中华人民共和国成立后，广州和黄埔两港分别成立港务局，并且大量改建、新建码头泊位。1987 年 12 月，两港合并，组成新的广州港。1999 年，全港货物吞吐量突破 1 亿 t，成为中国大陆第二个跨入世界亿吨大港的港口。之后，港口发展一年一大步，到 2006 年吞吐量达到 3 亿 t，全港集装箱吞吐量超过 665 万 TEU，港口货物吞吐量居全国沿海港口第 3 位，居世界十大港第五位。其中，2006 年广州港集团货物吞吐量 2.01 亿 t，集装箱吞吐量 477.4 万 TEU。

广州港地处珠江三角洲河网地区，地势平坦。自珠江口桂山岛锚地到黄埔港区的航道长 114.5 km，水深 8.6～9.0 m，2.5 万 t 级船舶可乘潮进出黄埔港区。广州内港区出海航道分为南航道和东航道，其中南航道是主航道，水深 4.5～7.0 m。广州港集团现有万吨级以上泊位 46 个，万吨级以上装卸作业浮筒 13 个，万吨级装卸锚地 23 个(其中最大锚泊能力 30 万 t)。

广州港

广州港下辖内港(广州)区、黄埔港区、新沙港区和虎门外港区四大港区。

73. 香港港

——世界最大的货柜港口

香港港位于珠江口外东侧香港岛和九龙半岛之间，是著名的国际贸易港口和世界最大货柜港口，也是世界三大天然深水良港之一。

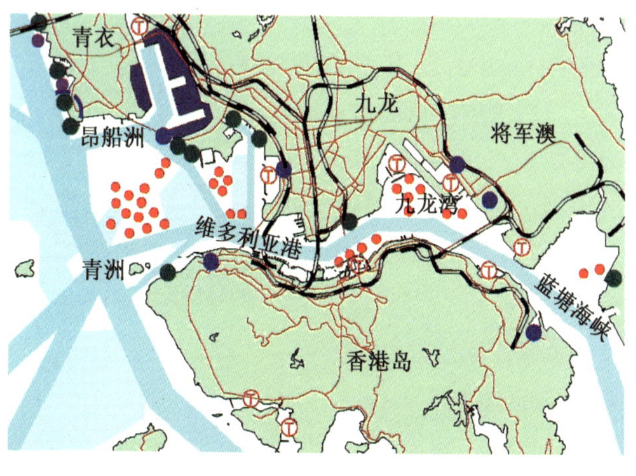

香港港平面位置图

香港港为自由港，背靠大陆，面临南海，是远东航运中心，有 100 多条航线通往世界各港口。沿珠江可上溯至广州、梧州等港口。香港有 1 200 余 km 公路和 34 余 km 铁路，经公路和广九铁路可通往中国内地。20 世纪 60 年代中期，香港港开始利用杂货码头装卸国际集装箱，正式步入快速发展的轨道。1970 年，在维多利亚港区西北部新界岸侧兴建第 1 个集装箱码头。1985 年，香港港成为仅次于鹿特丹港的世界第 2 大集装箱港。1987 年又跃居首位。1986 年，在 3 号码头堆场的后半部建成一座 6 层货运站，使原来 10 hm^2 土地只能堆放 1 700 TEU 提高到 3.2 hm^2 土地，可以堆放 1 800 TEU。至 1999 年底，香港港共有现代化集装箱码头 8 座，集装箱泊位 19 个，码头线总长 5 950 m，可同时系靠第 3 代以上集装箱船 19 艘；配置集装箱装卸桥 42 台，场地龙门吊 158 台，年设计总吞吐能力约 1 000 万 TEU。1999 年，香港港完成货物吞吐量 16 640 万 t，集装箱吞吐量 1 621 万 TEU，居世界第 1 位；

香港港

访港船舶超逾 21.28 万艘次。2000 年，完成集装箱吞吐量 1 810 万 TEU，仍居世界第 1 位。

香港港由 3 个海湾、2 个避风塘组成，港口水域 5 200 hm^2，最宽 9.6 km，最窄 1.6 km，吃水 12 m 的船舶可随时进出港口。港口范围内分布着香港仔、青山（屯门）、长洲、吉澳、流浮山、西贡、沙头角、深井、银矿湾、赤柱（东）、赤柱（西）、大澳、大浦、塔门和维多利亚 15 个港区。其中，维多利亚港区最大，港区面积 60 km^2，宽度在1.2～9.6 km 之间，港湾水域条件优良，水深超过 10 m，最深处达 14.5 m，不冻不淤。

香港港集装箱码头主要集中在维多利亚港区，该港区有 8 座集装箱码头（统称葵涌码头）。其中，1 号码头有集装箱泊位 1 个，码头线长 305 m，码头前沿水深 12.2 m，采用“一跨六”轮胎式龙门起重机，使集装箱堆放量至 6 层高。4 号码头有集装箱泊位 3 个，码头线长 881 m，码头前沿水深 12.2 m，按靠泊 5 万 t 级集装箱船设计，后方建有 305 m×76.2 m 的大型单层仓库，两侧带长悬臂屋顶的货台，可提供 183 个装卸货位。仓库的货仓全部用闭路电视、红外线摄影自动监视，能同时迅速启动所有消防设施。集装箱管理有 2 个计算机控制系统进行计划安排，对每个装卸环节进行连续追踪。

香港港在采用系船浮筒进行船舶过驳倒载作业，集装箱装卸和客运方面都有较高水平，港口管理先进，港口费率在世界上属于最低的。港口有供远洋船系泊的浮筒 67 个，台风时用的系船浮筒 48 个，以及香港特区政府和私人的系船浮筒 2 000 多个。这些浮筒可系泊待靠码头的船舶，也可进行海上过驳倒载作业。

国外著名水利工程集锦

伍

SHUI GONG CHENG

74. 密西西比河防洪工程

——美国最大河流上的防洪工程

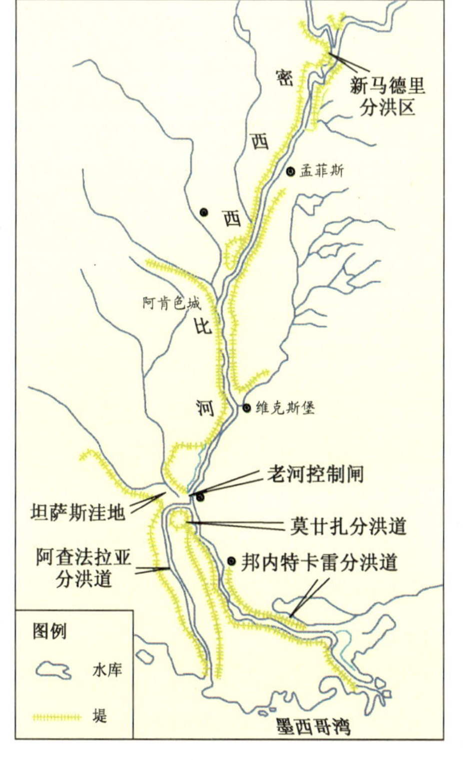

密西西比河下游防洪工程平面布置图

密西西比河是美国最大的河流，其洪水主要来自暴雨，也有融雪、冰凌、飓风、风暴潮及组合洪水。河流下游的广大冲积平原是防洪的重点地区。

密西西比河防洪工程由堤防（含防洪墙）、分洪工程、河道整治、支流水库等工程措施及洪水预报与警报系统、洪泛区管理系统等非工程措施组成。

（1）堤防

堤防是密西西比河的主要防洪工程。该河现有干流堤防 3 540 km（包括城市防洪墙在内），支流堤防 4 000 余 km，保护耕地 606.7 万 hm^2。

（2）分洪工程

当密西西比河洪峰流量超过河槽宣泄能力时，运用分洪工程分泄多余的洪水。分洪工程主要有：

① 新马德里分洪工程。位于俄亥俄河口开罗西南密西西比河右岸鸟点至新马德里之间，分泄干流部分洪水进入分洪区，绕过开罗市再回归干流，目的是保护开罗市。设计分洪流量为 15 600 m^3/s。该工程建于 20 世纪 30

年代，1937 年用过一次。

② 阿查法拉亚分洪工程。位于密西西比河右岸老河至阿查法拉亚河一线，目的是减少雷德河码头以下密西西比河洪峰流量，以保护巴吞鲁日、新奥尔良等城市的安全。曾于 1973 年、1975 年、1979 年、1983 年等用过。

③ 邦内特卡雷分洪道。位于新奥尔良上游约 40 km 处，保护该市不受洪水威胁，可分洪 7 100 m^3/s 入庞查特雷恩湖，于 1931 年建成。1937 年、1945 年、1950 年、1973 年、1975 年、1979 年、1983 年共用过 7 次。

（3）河道整治工程

20 世纪 30～40 年代，在孟菲斯至雷德河码头之间裁弯 16 处，使该段河流泄洪能力增加 2 800～22 600 m^3/s。此外，为防止堤岸冲刷崩塌，采用块石护岸，并且修建了大量的丁坝和顺坝。

（4）支流水库

已建成防洪作用较大的水库约 150 座，总库容 2 000 多亿 m^3。

上述工程措施，在历时半个多世纪内，发挥了巨大的防洪效益。1955 年，美国陆军工程兵团专门提出了关于密西西比河防洪的评估报告，认为实现防洪减灾，应从自然环保的总体来考虑，并且需有综合性的防洪措施。例如，按照洪灾风险，科学地规划河滩地的土地利用；加强汛情预报报警；确定紧急应变与救济机制；推广洪水保险等。

密西西比河风光

75. 大古力水利枢纽

——20 世纪末世界混流式发电机装机容量最大的枢纽

大古力水利枢纽工程

大古力水利枢纽位于哥伦比亚河上，在美国华盛顿州斯波坎市以西 145 km处，是一座具有发电、防洪、灌溉等效益的大型综合利用水利枢纽。

大古力工程于 1933 年开工，1941 年第 1 台机组发电，1951 年完工。1967 年，美国和加拿大两国开始对工程进行改造，由加拿大在哥伦比亚河上游修建 3 座大型水库，提高大古力工程的调节性能；由美国对大古力工程进行扩建，在右岸修建前池坝和第三厂房。

坝址控制流域面积 19.2 万 km^2，多年平均年径流量 962 亿 m^3。大坝形成的水库称为罗斯福湖，总库容 118 亿 m^3，有效库容 64.5 亿 m^3。

枢纽主要建筑物有大坝、溢洪道、发电厂房和抽水站等。

大坝为混凝土重力坝，坝高 168 m。河床中部为溢流坝段，设有 11 个表面溢流孔，总泄流量 21 900 m^3/s。坝体内设有 3 层直径 2.6 m 的泄水孔，分别处于正常蓄水位以下 47 m、77 m 和 108 m。每层为 10 对，3 层共 60 孔，各孔分别装有高压环封阀门。最下一层孔，导流后用混凝土封堵，其余 40 孔泄流能力为 6 400 m^3/s。

左、右两岸分别设第一、第二厂房，各装有 9 台单机容量 108 MW 的水轮发电机组；另有 3 台厂用机组，每台容量 10 MW，总容量为 1 974 MW。左

岸抽水站共安装有 12 台机组，其中 6 台为普通水泵，总功率 291 MW，6 台为可逆式水泵，总功率 300 MW，总抽水流量 611.6 m^3/s，由罗斯福湖提水灌溉哥伦比亚中部高原的 44.3 万 hm^2 土地。

大古力改造土建工程于 1974 年竣工。第三厂房内当时安装单机容量 600 MW 和 700 MW 机组各 3 台，先后于 1975—1980 年投入运行。原有的 18 台机组，在 20 世纪 70 年代重新绕组，每台容量增加到 125 MW 左右。至此，第一、二、三厂房加上厂用机组，大古力水电站总装机容量为 6 494 MW，年发电量 248 亿 kW·h。在前池坝下端预留了两台 700 MW 的常规水轮发电机组和两台 500 MW 的抽水蓄能机组。

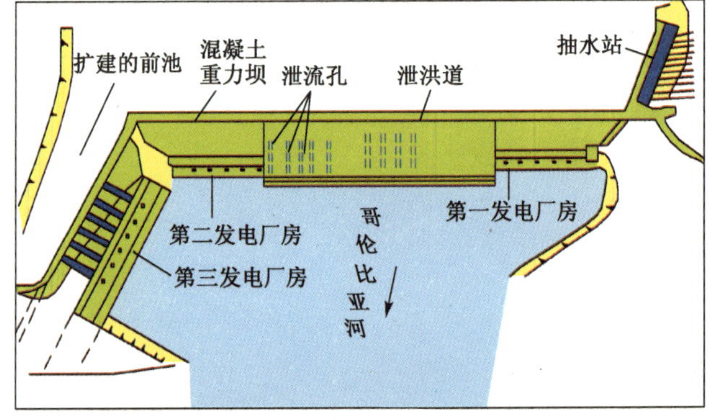

大古力水利枢纽工程布置示意图

第三厂房内原安装的 3 台 700 MW 机组，因气蚀、漏水、绝缘老化等问题而频繁检修，美国垦务局 1992 年决定对其进行改造，采用新技术更新定子，将发电机容量由 700 MW 提高到 805 MW，成为 20 世纪末世界上容量最大的混流式发电机。

76. 大狄克逊坝

——世界最高的重力坝

大狄克逊坝位于瑞士罗讷河左岸的狄克斯河谷中，工程以发电为主。装机容量 864 MW，计划将装机容量增加到 1 700 MW。

工程在 1953 年开工时，计划分 4 期施工，每期完成后，间歇 1～2 年，计划工期 15～17 年。第一期工程于 1957 年完工，坝顶浇筑至 2 263.6 m 高程，浇筑速度大大超过预定计划。因此，决定将原来分 4 期的计划改为两期。第一期工程完工不久即进行第二期工程。第二期工程将大坝浇筑至设计坝顶，1962 年初完工。

大狄克逊重力坝

坝址控制流域面积 357 km^2，年平均径流量 4.1 亿 m^3。水库库容 4 亿 m^3。

工程主要建筑物包括：混凝土重力坝、泄洪建筑物、左岸发电引水系统和地下厂房。

混凝土重力坝坝顶高程为 2 365 m，坝高 285 m，是世界上最高的重力坝。电站为高水头引水式电站，共有 3 座厂房。泄洪建筑物主要是在发电引水隧洞内设一支洞作为主要泄洪隧洞，另外在坝的河床部位设一泄水底孔，用于放空水库。

坝区气候严寒，每年只有 5～7

个月的施工期，大坝采取分期加高施工方式。

1957 年 6 月完成第一期工程时，大坝下游面形成一系列的台阶。台阶的垂直面上设置一系列尺寸较大的 V 形舌榫。第二期工程施工时，混凝土柱状块体一部分直接与第一期工程的台阶垂直面连接，其他块体则与台阶垂直面之间留一条宽 3.8 m 的宽槽。块体冷却后用混凝土填塞，形成一条啮合键。这种设计考虑了新老混凝土浇筑块之间不致因收缩而出现裂隙，还考虑了新老混凝土间合理传递应力的需要。

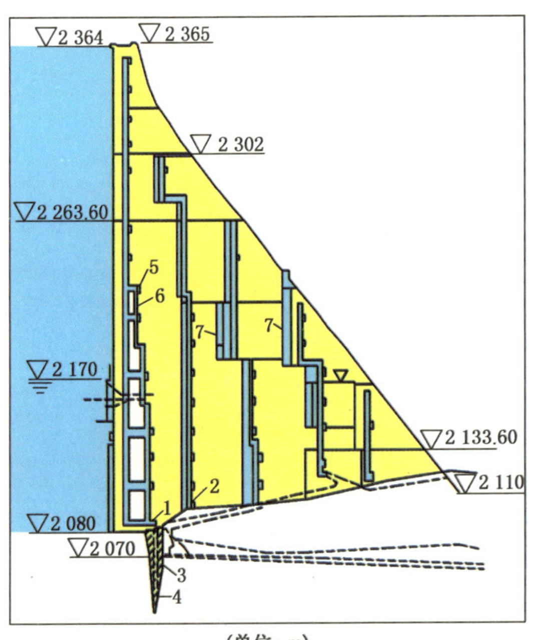

(单位：m)

大狄克逊坝横剖面图

1—底部廊道；2—排水廊道；3—灌浆廊道；4—防渗帷幕；5—检查廊道；6—检查竖井；7—宽缝键槽

77·宫濑坝

——日本 20 世纪末已建的最高碾压混凝土重力坝

宫濑坝位于日本神奈川县境内相模川水系右支流中津川上，距东京 50 km，是以防洪、供水和发电等为目的综合利用的水利枢纽工程。

大坝于 1991 年 10 月开始进行碾压混凝土施工，1994 年建成，是日本 20 世纪末建成的最高的碾压混凝土重力坝。

坝址控制流域面积 213.9 km^2，水库总库容 1.93 亿 m^3，正常高水位 286 m，电站总装机容量 25.4 MW，最大坝高 155 m，坝顶长 400 m，大坝混凝土体积约 200 万 m^3，设计洪水标准为 200 年一遇，洪峰流量为 1 900 m^3/s，设有 3 个表孔溢洪道和 2 个泄洪底孔。

坝址位于丹泽山脉的东部，两岸坡度较陡，在 40°～70°之间，主要地层由第三纪中新世比较坚硬的火山碎屑岩（火山角砾岩、火山砾质凝灰岩）、砾岩和凝灰质砂岩等构成。

宫濑坝全景

宫濑碾压混凝土坝施工采用 RCD 工法，与常规柱状施工法相比，工期可缩短 20%～30%，费用也较省。碾压混凝土的设计强度 90 d 龄期为

13.5 MPa，大坝的上下游面和与地基的接触面分别设有 3 m、2 m、1.5 m 厚度的常态混凝土，坝体不分纵缝，只设横缝（用振动式切缝机切割，嵌入 0.8 mm 镀锌铁片），施工碾压层厚 75 cm，用 100 kN 振动碾，按无振 2 次、有振 10 次、最后 2 次用轮胎碾压的程序压实。宫濑碾压混凝土坝施工的技术特点如下：

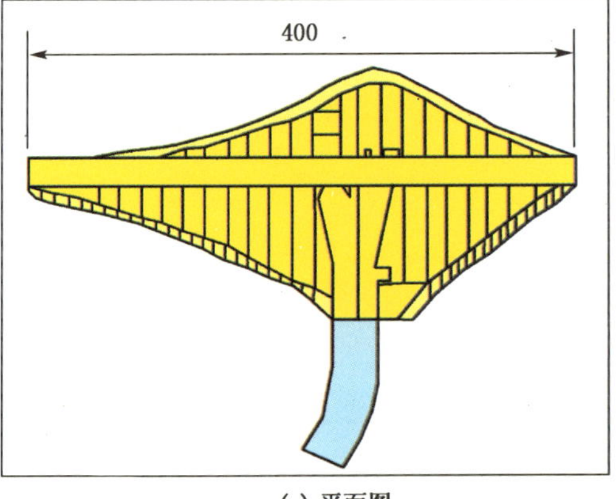

(a) 平面图

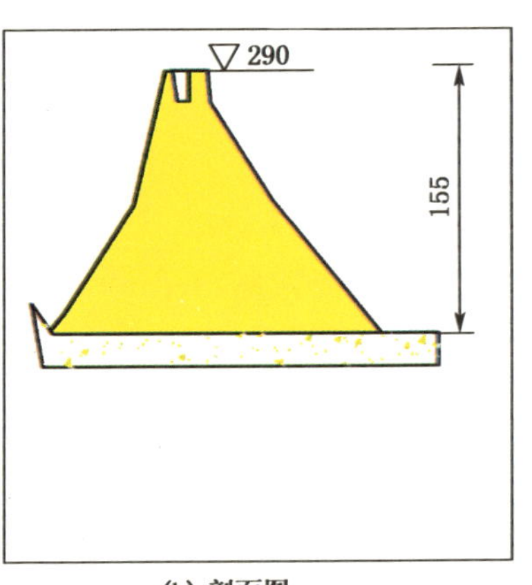

(b) 剖面图

（单位：m）

日本宫濑碾压混凝土重力坝平面及剖面图

（1）在右坝头采用坡角为 30°的斜坡道运输系统，即将装有 20 t 混凝土的搅拌车通过置于斜坡轨道车上，放落到大坝浇筑仓面。

（2）骨料采石场邻近大坝约 500 m，采用台阶式开挖，竖井和水平隧道运输，人工骨料加工厂日产骨料约 4 500 m^3。

（3）坝的下部仓面施工分为 3 个区，每个区面积约为 7 200 m^2，日浇筑强度约为 4 000 m^3，最大月浇筑强度为 11.7 万 m^3。

78. 巴克拉水利枢纽

——印度河综合利用的骨干枢纽

巴克拉大坝位于喜马偕尔邦印度河支流萨特莱杰河上游的巴克拉峡谷进口处，是印度综合利用印度河东部支流水资源的骨干水利枢纽工程。工程的主要任务是发电和灌溉，兼有防洪作用。

工程于1954年9月截流，1960年第1台机组发电，1966年全部建成。

坝址控制流域面积56 980 km^2，年平均径流量168亿m^3。水库总库容96.2亿m^3，有效库容71.9亿m^3。水电站总装机容量1 200 MW。

巴克拉大坝

灌区分布在旁遮普邦、哈里亚纳邦和拉贾斯坦邦，总灌溉面积约266.7万hm^2。灌溉引水渠上设有一座154 MW的水电站。

坝基为砂岩和粘土岩互层。混凝土重力坝高226 m，坝顶高程518.11 m，坝顶长518 m，体积413万m^3。溢流坝在河床中部，设有顶部表孔和两排坝内深孔，总泄流量8 212 m^3/s。左、右岸设坝后式厂房，分别装有5台108 MW和5台132 MW的水轮发电机组。

1960年，印巴两国签订了印度河用水条约，规定印度河东部3条支流（拉维河、比阿斯河、萨特莱杰河）水量归印度使用。为了充分利用这3条支流的水资源，印度修建了一些水利工程。例如，把比阿斯河的部分水量调入萨特莱杰河的比阿斯——萨特莱杰引水发电工程，其引水隧洞最大流量为255 m^3/s。这些工程完成后，不仅扩大了巴克拉坝的效益，而且使巴克拉坝

成为系统中的骨干工程。

工程中的突出技术问题是地基处理和泄洪消能。

① 河床坝段地基中有 3 条粘土夹层和 1 条剪切破碎带通过。坝踵上游的粘土夹层宽 30～45 m，向下游倾斜，倾角 70°～75°。处理方法是挖除粘土岩（挖除深度 43 m），浇筑混凝土塞；在混凝土塞与坝踵间修建混凝土支撑体。在混凝土与砂岩接触处进行灌浆。支撑体的作用是把大坝作用力传至砂岩，在灌浆时起压重作用。坝基下的粘土夹层和剪切破碎带宽度分别为 9.2 m 和 4.6 m，也都挖除并回填混凝土。

② 下游消能曾研究过底流、挑流和面流 3 种形式，由于基岩强度低，最后采用底流消能。消力池护坦包括与下游坝面连接的圆弧段、1∶0 的倾斜段与水平段，全长 156 m。消力池末端曾考虑设消力坎，恐遭空蚀破坏而取消。为了便于检修护坦，在消力池中部设有一道隔墙。坝下游的粘土岩夹层宽 60 m，被护坦板覆盖，未作专门处理。

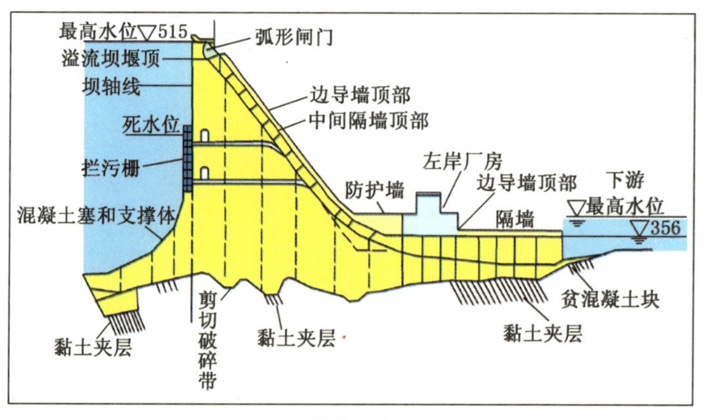

（单位：m）

巴克拉大坝剖面图

施工时采用隧洞导流。两条直径 15.2 m 的隧洞分设在左右两岸。在工程运用中，消力池曾受到严重冲刷破坏，后用气压沉箱法，以环氧树脂混凝土和混凝土进行修补。

79. 胡佛坝

——世界第一座坝高超过 200 m 的拱坝

胡佛坝位于美国内华达州和亚利桑那州交界的科罗拉多河黑峡大孤石处，距拉斯维加斯 50.6 km。先前以地名称波尔德坝，1947 年为纪念胡佛总统而命名。此前，为纪念美国垦务局前领导人“依尔乌德·米德”，命名大坝水库为米德湖。

1921 年初开始该工程的规划设计，1928 年 12 月获准兴建。工程主要开发目标是防洪、航运、灌溉、城市生活和工业用水以及发电，此外还有旅游、养殖等效益。

米德湖最大容量 367 亿 m^3，灌溉面积 51 万 hm^2，水电站总装机容量 1 367 MW，年平均发电量 40 亿 kW·h。

胡佛坝

胡佛坝为拱形重力坝，最大坝高 221.3 m，是世界上第一座坝高超过 200 m 的拱坝。坝顶长 379 m，坝底河谷最大宽度 201 m，坝体混凝土 249 万 m^3。坝址基岩为坚硬的安山岩角砾石。拱坝坝基设置水泥灌浆帷幕和排水孔，并对上游剪力带进行了固结灌浆。工程施工时，两岸各布置两条直径为 15.2 m 的隧洞进行导流。导流完成后，利用导流隧洞改建了两条明流隧洞

用来泄洪。溢洪道布置于两岸边，用斜井与隧洞相连接。大直径隧洞衬砌近 5 km。两岸离坝不远处各布置两座进水塔，配备直径 9.1 m 的钢管分别与水塔底部连接，将水流导入水电厂，由设在水塔内的圆柱筒闸门对水流进行控制。

胡佛坝

胡佛坝的建成，是混凝土筑坝史上一座重要的里程碑。当时，在最大坝高、坝底最大宽度、机组尺寸、钢板焊接尺寸和总量、人工混凝土冷却系统、混凝土施工速度和规模以及枢纽工程其他一些方面，都是史无前例的。因此，在设计和施工过程中进行了一系列试验和研究，所获成果极大地保证了工程结构、施工、管理和运行诸方面的安全、经济和高效。特别是胡佛坝使用的柱状浇筑法被称为混凝土的传统施工方法，被世界许多国家采用。1995 年，美国土木工程学会评定胡佛坝为美国七大奇迹之一。

80. 英古里坝

——20 世纪世界上最高的拱坝

英古里坝位于格鲁吉亚共和国的英古里河上，是 20 世纪世界上最高的拱坝。工程具有发电和防洪等综合效益。

工程于 1965 年开始施工，1969 年完成左岸导流隧洞，同年英古里河截流。大坝分两期施工，第一期大坝上游坝块浇至 171.5 m，下游坝块浇至 140～160 m，保证上游水位 170 m 时第 1 台机组提前发电。1978 年 11 月初水库蓄水至发电水位，第 1 台机组联网发电。1984 年拱坝竣工。

枢纽主要建筑物包括：拱坝、引水隧洞、地下厂房和无压尾水隧洞。坝址控制流域面积 4 060 km^2，多年平均流量 155 m^3/s。水库库容 11 亿 m^3。坝基由石灰岩、白云质石灰岩和白云岩组成，岩层为单斜构造，倾向下游，河床上部呈轻微的背斜弯曲，地震烈度为Ⅷ度。坝址河床砂砾石覆盖层厚达 38 m。

英古里坝为双曲拱坝，最大坝高 271.5 m。坝顶设 6 孔溢流堰，总泄量为 2 500 m^3/s。大坝修建在不对称的河谷上，河谷形状近似于抛物线，其顶长与高度之比为 2∶3。坝体分为 38 个坝段，横缝为螺旋形，垂直于相应拱轴的各水平截面，间距为 15.3～16.3 m，内设黄铜止水片。上、下游坝块之间的纵缝大致沿坝的中心布置。坝段之间、坝块之间设键槽，并对纵缝和横缝进行接缝灌浆，以保证其联合受力。拱坝与地基的连接部分设鞍座，用周边缝

英古里拱坝

与拱分开。鞍座的高度在两岸为 15～20 m，在河床深槽处达 50 m。周边缝采用 3 道紫铜片止水。坝高 2/3 以下设水平排水孔排水，高程相距为 1.5 m，积水排入设在横缝中的排水井内。坝体上部 1/3 由纵向或横向廊道钻设排水孔，孔径为 105 mm。拱坝右坝肩有宽 3～5 m 的断层破碎带，左右岸顶部岩石松散，设计采用了开挖总长 3.5 km 的隧洞再回填混凝土作为水平桩的措施，并且进行帷幕灌浆。为了使坝能承受地震惯性力引起的偏心拉力，在坝上部 1/4 处设有穿过横缝的水平钢筋。采用周边缝结构也是为了改善地震应力状况，减少产生地基裂缝的可能性。

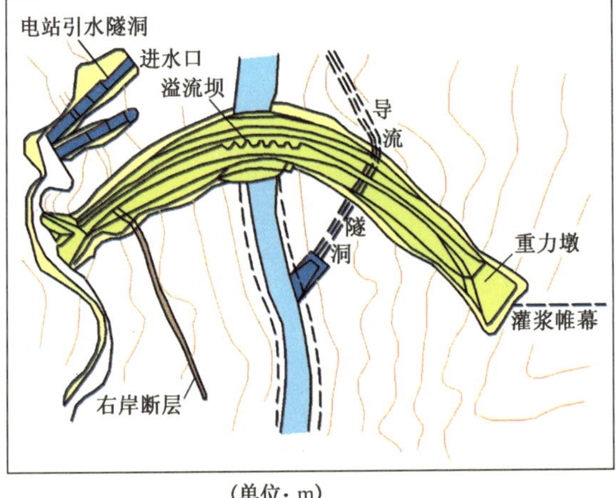

(单位：m)

(a) 平面布置图

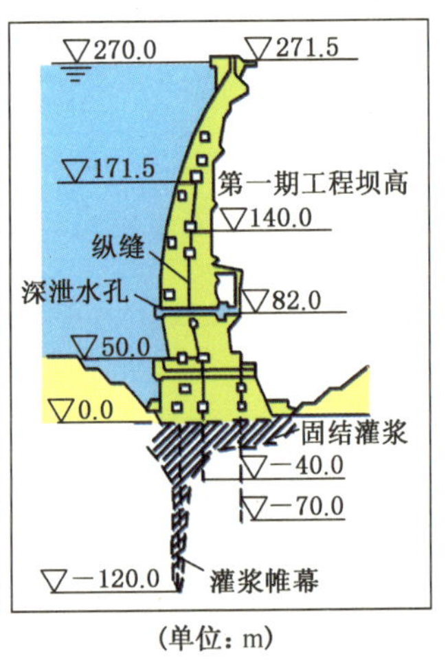

(单位：m)

(b) 剖面图

英古里坝平面布置图和剖面图

引水隧洞洞径 9.5 m，长 15 km，承压水头大于 100 m。电站装机 5 台 260 MW 的机组(不包括在尾水渠上修建的 4 座电站各 85 MW 的机组)。

81. 萨扬舒申斯克水电站

——20世纪俄罗斯已建的最大水电站

萨扬舒申斯克水电站位于俄罗斯西伯利亚叶尼塞河上游，总装机容量6 400 MW，保证出力2 120 MW，平均年发电量235亿kW·h，是俄罗斯20世纪已建的最大水电站。

萨扬舒申斯克水电站从修筑围堰工程起，至首台临时转轮机组发电为期10年。1985年10台机组全部投产，大坝工程于1987年竣工，总工期达19年。

萨扬舒申斯克水电站

坝址以上流域面积18万km^2，平均年径流量467亿m^3。水库正常蓄水位540 m，相应库容313亿m^3，调节库容153亿m^3，可进行多年调节。该水库是叶尼塞河的龙头水库，其下游为玛因反调节水电站。

水电站大坝为混凝土重力拱坝，最大坝高242 m，是世界上已建最高的重力拱坝。坝顶高程547 m，坝顶弧线长1 066.1 m，沿坝顶自右至左依次为右岸非溢流坝段、溢流坝段、厂房坝段及左岸非溢流坝段。坝体混凝土量达850万m^3。

溢流坝段长189.6 m，设11个中孔，最大水头116.7 m，泄洪能力13 600 m^3/s，下设两道坝消力塘消能。厂房坝段长331.8 m，设10个进水口，下游面设外包混凝土背管，内径7.5 m。左右岸非溢流坝段，分别长246.2 m和298.5 m。

厂房为坝后式，安装10台640 MW机组，最大发电水头220 m。变电站

位于左岸下游 1 km 处，用 500 kV 输电线联入西伯利亚电网。

由于叶尼塞河上游处于西伯利亚偏僻地区，交通不便，冬季长且气温低（最低达−42℃），施工条件较差。

工程于 1968 年 9 月开始建第 1 期围堰，到 1972 年 10 月才浇筑溢流坝段混凝土。在此后的 5 年时间内，截至 1977 年底共浇筑混凝土 202 万 m^3，平均每年浇筑混凝土仅 40 万 m^3 左右，施工进度非常缓慢。为了提前发挥工程效益，采取了低水头先发电的措施，在坝体内另设较低的临时进水口（以后用混凝土封堵）发电。1 号、2 号临时进水口底坎高程比设计值低 109.5 m，机组采用临时转轮（以后更换为正常转轮），带动发电机降低出力运行，两台机组分别于 1978 年和 1979 年提前发电。对 3～6 号机，也分别设置临时进水口，机组用正常转轮，通过对结构采取适当措施，在 120 m 水头时开始发电。

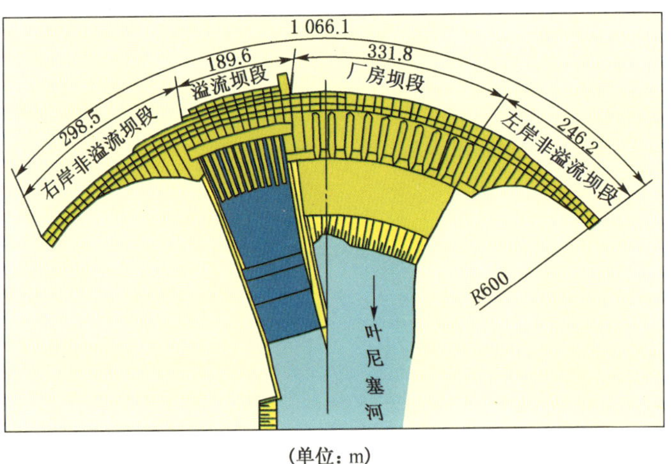

（单位：m）

萨扬舒申斯克水电站平面布置图

82. 伊泰普水电站

——20世纪建成的世界最大水电站

伊泰普水电站位于南美洲巴西与巴拉圭两国边界的巴拉那河中游河段，电站由巴西和巴拉圭两国共建、共管，所发电力由两国平分。工程于1991年建成，是世界上20世纪建成的最大水电站。

伊泰普工程自1975年5月土建开工，至1991年4月18台机组全部投入运行，总工期15年11个月。

坝址以上巴拉那河流域面积82万km^2，多年平均流量9 070 m^3/s。水库正常蓄水位220 m，相应库容290亿m^3，调节库容190亿m^3。巴拉那河的航运，原受伊泰普库区瀑布之阻，上下不通航。兴建水库后瀑布被淹，可以通航。

工程主要建筑物包括：主坝——翼弧线形大头支墩坝、溢洪道、右岸土坝、左岸堆石坝和左岸土坝。

施工导流明渠长2 000 m，设计泄量35 000 m^3/s。明渠上游拱围堰高35 m，下游拱围堰高31.5 m。导流控制段重力坝高162 m。

伊泰普水电站全景

主坝为混凝土双支墩大头坝，坝顶高程225 m，最大坝高196 m，是世界上已建

最高的双支墩大头坝。坝顶长 1 064 m，每个坝段长 34 m。右翼为弧线形大头坝，最大坝高 64.5 m。

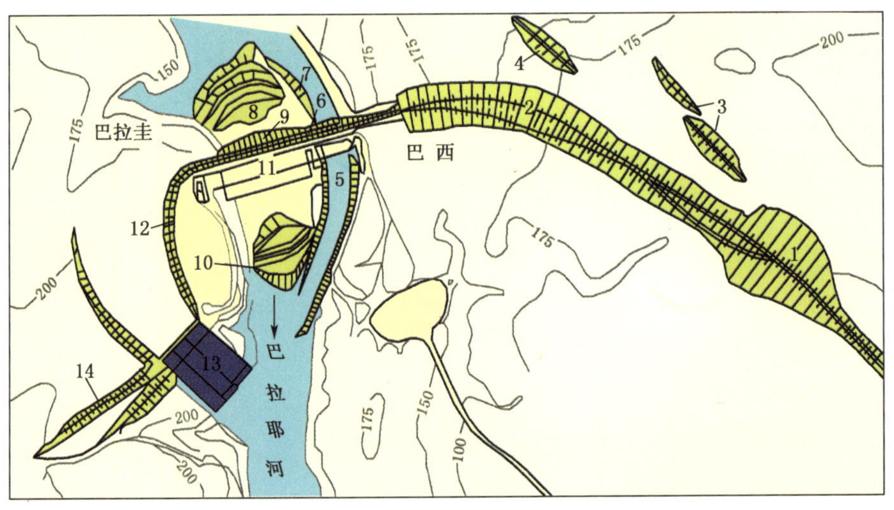

伊泰普水电站平面布置图

1—左岸土坝；2—堆石坝；3、4—堤；5—导流明渠；6—导流控制段；7—拱形围堰；8—上游围堰；9—双支墩主坝；10—下游围堰；11—厂房；12—单支墩大头翼坝；13—溢洪道；14—右岸土坝

溢洪道总宽度 390 m，安装弧形闸门 14 扇，每孔跨度 20 m。右岸土坝最大坝高 25 m，左岸堆石坝最大坝高 70 m，左岸土坝最大坝高 30 m。

发电厂房为坝后式，安装 18 台 700 MW 混流式水轮发电机组，总装机容量 12 600 MW，平均年发电量 750 亿 kW · h。1998 年续建扩机两台 700 MW机组，以便维修和事故备用，并且可供调峰和增加发电量，目前总装机容量达 14 000 MW。由于巴拉圭和巴西两国电力周波不同，分别为 50 Hz 和 60 Hz，厂房内设两个安装间和两个控制室。从右起 1～9 号机和扩机 9 A 为 50 Hz，向巴拉圭送电；10～18 号和扩机 18 A 为 60 Hz，向巴西送电。

83. 丹尼尔·约翰逊坝

——世界上最高的连拱坝

丹尼尔·约翰逊坝又名马尼克Ⅴ级坝，位于加拿大马尼夸根河上，是该河流梯级开发的最上游一级。工程主要用于发电，电站装机容量为1 344 MW(8台168 MW机组)。

工程于1962年开工，1968年第一台机组发电，1989年工程全部完工。

坝址控制流域面积约11 300 km^2，多年平均流量677 m^3/s。水库库容1 419亿m^3。工程主要建筑物有混凝土高连拱坝、左岸引水发电系统与地面厂房、地下厂房、溢洪道等。

丹尼尔·约翰逊坝最大坝高214 m，是世界上最高的连拱坝。坝顶长1 314 m，大坝混凝土方量为226万m^3。大坝设有13个拱、14个坝垛，坝顶部分坐落在拱和垛上，成一直线。所有的拱圈均坐落在垛的斜面上，并在垛上游面上设有过渡块，其接触部位有抗剪键槽和可重复灌浆的系统，使大坝成为一个整体。

丹尼尔·约翰逊连拱坝

大坝坝址位于狭窄河谷，覆盖层深度约为50 m。坝基基岩主要为片麻岩，节理较发育，表面有张开裂缝，到下部闭合，有3条小断层通过，破碎带最大宽度为1 m。针对坝基的实际地质问题，工程中主要采取了以下技术措施：①全部清除河床部位50 m深的覆盖层，用混凝土回填到高程200 m；②对大拱右侧坝垛和相邻的两个坝垛基岩下21 m深的缓倾角夹层全部挖除；③挖除坝基下相交小断层的上部三角体并回填混凝土；④对坝基进行固结灌浆，深度为15 m；⑤防渗帷幕灌浆深度为1/2水头；⑥设置排水孔幕，孔深

为 1/3 水头、孔径为 76 mm、孔距为 3 m；⑦大坝安全监测设置了三角网控制系统、精密水准控制系统和垂线观测系统，用以测量大坝和基础的变形。

大坝的应力还采用了模型试验方法加以综合分析。模型比例尺为 1∶200，取用河床中间部位大拱和左右两侧各 3 个拱、7 个拱，坝垛长为 440 m，上下游方向宽 210 m，坝基深度取为 30 m。模型用熟石膏及掺合料制成，弹性模量取较低值(1.16 GPa)，泊松比近似按混凝土取值(0.7)。模型材料的具体组成是：水 700 L，熟石膏 433 kg，掺合料 231 kg，缓凝剂 0.205 kg。模型加载分水压力和自重两部分，自重约为水压力的 50%。

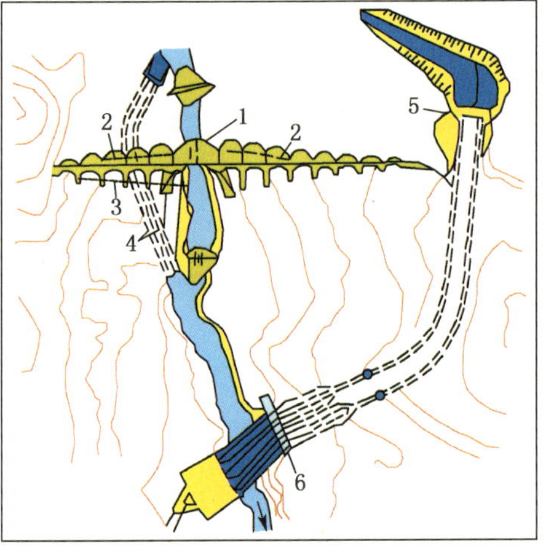
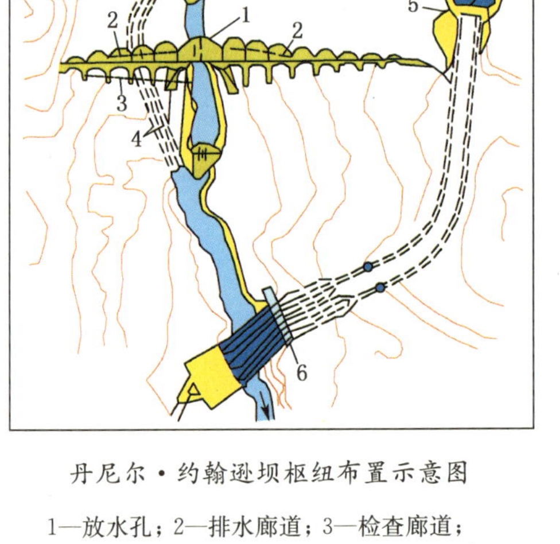

丹尼尔·约翰逊坝枢纽布置示意图

1—放水孔；2—排水廊道；3—检查廊道；4—导流隧道；5—发电进水口；6—地面厂房

大坝混凝土浇筑使用了 3 套载重量为 20 t、跨度为 1 100 m 的缆机。混凝土最高月施工强度为 10.5 万 m^3，最高年强度为 40 万 m^3。

84. 阿斯旺坝

——世界上透水地基最深的土石坝

阿斯旺坝位于埃及开罗以南约 800 km 的阿斯旺城附近，距下游老阿斯旺坝 7 km，是尼罗河上的一座大型水电工程，具有防洪、灌溉、发电和航运等综合效益。

工程于 1960 年开工，1967 年 10 月开始发电，1971 年全部竣工。

阿斯旺高坝坝基为花岗片麻岩。河床覆盖层很厚，最深处达 225 m。修建高坝后，形成长 500 km、面积 6 751 km^2 的水库，称为纳赛尔湖。水库总库容 1 689 亿 m^3，有效库容 900 亿 m^3，可进行多年调节并可拦蓄上游来沙。

阿斯旺坝

大坝为粘土心墙堆石坝，最大坝高 111 m。水电站布置在右岸，装有 12 台单机容量 175 MW 的机组，总装机容量 2 100 MW。

施工导流采用 6 条直径 15 m、长 315 m 的隧洞，其上游有引水明渠，下游有泄水明渠，后期将导流隧洞改建成发电和泄洪共用的引水洞，每条洞向两台机组和底部泄洪孔输水，引水明渠和泄水明渠则相应成为电站引水渠和尾水渠。围堰和坝体下部均在水下直接施工，先向深水抛投块石，然后用

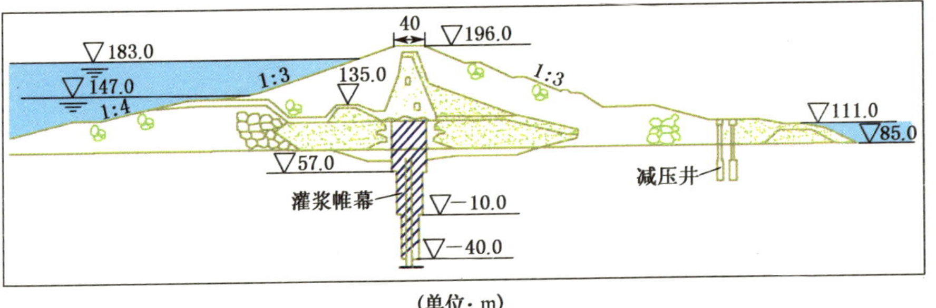

(单位: m)

阿斯旺坝剖面图

水力冲填法将砂填入,并且采用特制的插入式深层振捣器将砂振实。河床坝基防渗帷幕深约 170 m,两岸灌浆帷幕深 65 m,总灌浆面积 54 700 m^2,用粘土、水泥、膨润土以 3～6 MPa 的压力灌注,灌浆总量约 67 万 m^3。阿斯旺水库有 410 亿 m^3 的防洪库容,加上容量为 1 196 亿 m^3 的分洪区(分洪道在上游 250 km 的左岸岸边),可完全控制尼罗河洪水,已安全经受了 1964 年、1975 年和 1988 年的大洪水。电站设计年发电量约 100 亿 kW・h。1996 年 8 月,埃及政府完成了对阿斯旺水电站的现代化改造,使埃及在此后的 30 年内可获得可靠的电力,每年可引用的水量从原有的 520 亿 m^3 提高到 740 亿 m^3。水量中分配给苏丹使用的为 185 亿 m^3,可灌溉农田 200 万 hm^2。其余水量分配给埃及,可扩大灌溉面积 100 万 hm^2,使埃及约 40 万 hm^2 农田由一季灌溉改为常年灌溉。

由于水库库容大,显著地改变了库区和坝下游的自然和生态环境,曾经出现过一些不利的环境影响,例如曾促使血吸虫病蔓延、下游河道下切、下游沙丁鱼产量减少和下游农田肥力降低等,但通过相应措施,不利影响逐步缓解或得到控制。

85. 谢尔蓬松坝

——20 世纪法国迪朗斯河上最大的水利枢纽

谢尔蓬松坝位于法国罗讷河支流迪朗斯河上，坝址距上游阿尔卑斯省的加普城约 30 km，是 20 世纪法国在该河修建的最大一座水利枢纽。工程于 1960 年建成。

坝址控制流域面积 3 600 km^2，平均年径流量 27 亿 m^3。水库总库容 12.7 亿 m^3，有效库容 9.0 亿 m^3。地下水电站装有 4 台单机容量 80 MW 的机组，平均年发电量 7 亿 kW · h。

大坝为心墙土石坝，最大坝高 129 m，坝顶长 600 m。心墙为冰碛土，上下游坝壳为河床冲积层砂卵石，上游面用大块石护坡。左岸布置两条泄水

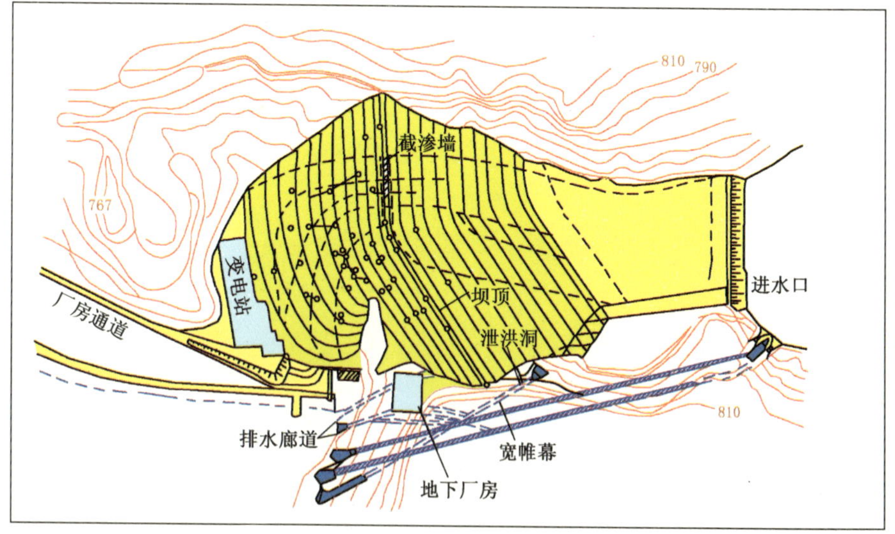

谢尔蓬松坝枢纽布置图

谢尔蓬松坝

底孔，由导流隧洞末端改建而成，最大泄量共为 1 200 m^3/s。在右岸布置一条泄洪隧洞，最大泄量 2 000 m^3/s。

坝址基岩为泥质石灰岩，覆盖层厚 90 m。河床砂砾覆盖层最深达 110 m，帷幕灌浆设在心墙下面，采用粘土水泥灌浆。灌浆孔共 12 排孔，排距 2～3 m，中间 4 排深入基岩，其他各排达到一定深度，中间较深，两边较浅。灌浆孔总进尺约 16 000 m，灌浆后形成的顶宽约 35 m，底宽约 15 m。灌浆材料为水泥、胶质粘土、矿渣，并掺有2%～3%的纯碱以防止沉淀。

工程主要特点是利用导流隧洞改建成泄水和发电共用的引水隧洞。两条导流隧洞，总泄量 1 800 m^3/s，内径均为 9.3 m，长度分别为 840 m 和 892 m。改建内容包括以下几个方面。

(1) 在两条隧洞末段各设一个长 40 m 的混凝土塞。塞内设泄水底孔。每个底孔各装一道事故闸门和一道工作闸门，工作水头为 124 m，每孔泄量为 600 m^3/s。

(2) 在混凝土塞前，每条导流洞分出两条岔管作为水轮机的压力引水管，并且在与水轮机连接处设有蝴蝶阀。

(3) 在导流隧洞进口处装设宽 6.2 m、高 11 m 的链轮闸门，事故情况下可快速关闭。该闸门工作水头 126 m，总水压力达 84 000 kN，是世界上大型闸门中总水压力较大的。

泄水建筑物运用时水力条件比较复杂，1960 年 1 号泄水底孔泄水时，曾发生严重的空蚀破坏，蚀坑体积约 360 m^3，后用混凝土衬砌修复。

谢尔蓬松坝坝区风景

86. 努列克水利枢纽

——世界上已建的最高土石坝

努列克水利枢纽位于塔吉克斯坦共和国境内瓦赫什河中游的布利桑京峡谷中，是发电、灌溉和航运等综合利用的水利枢纽。

工程 1961 年开工，1972 年开始发电，1980 年建成。

瓦赫什河径流主要由冰雪补给，流域面积 30 700 km^2。水库总库容 105 亿 m^3，有效库容 45 亿 m^3。枢纽建筑物布置在白垩纪砂岩和粉砂岩地基上，岩层倾向上游，倾角 30°～50°，坝址河床覆盖厚 13～20 m 的第四纪沉积物。坝区地震烈度为Ⅸ度。枢纽由大坝、左岸泄水建筑物、右岸电站厂房等组成。

大坝为土石坝，坝顶长 730 m，最大坝高 300 m，是世界上已建的最高土石坝。大坝由壤土和砂壤土防渗心墙、砂砾石反滤层和未经筛分的砾石沉积物填筑的坝壳所组成。上下游面铺设一层防震块石护坡。大坝上游坝体内部在高程 855 m、876 m、894 m 处各设有一层加筋抗震层。

两条隧洞泄洪，设计总泄量4 040 m^3/s。隧洞断面宽 12 m，高 10 m，长度分别为 1 600 m 及 1 400 m，水头 174 m，设 5 m×6 m 弧形闸门，并采用掺气防蚀措施。

努列克大坝

电站共装 9 台 300 MW 的机组，总装机容量 2 700 MW，年平均发电量 112 亿 kW·h。在水电建设中，第一次采用水轮机转轮直径 4.75 m、转速 200 r/min、承受水头达 270 m 的混流式水轮机。电站

厂房为半露天式结构，大坝仅部分建成时，在3台机组上安装了临时转轮，分别于1972年11月和1973年5月实现提前发电。为使发电机保持正常转速，在较小的水轮机转轮直径上安装附加内环，这种措施也是世界上第1次采用。其余几台机组均采用正常转轮的机组，到1979年电站建成全部投入运行时，发电效益已收回全部投资，中亚细亚动力系统的供电情况也得到显著改善。

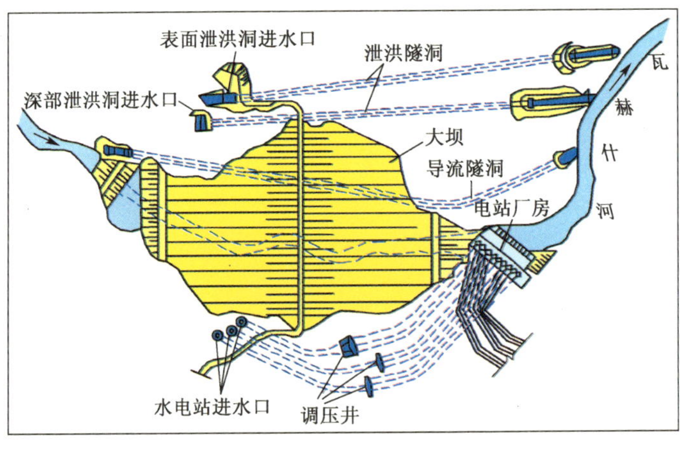

努列克水利枢纽平面布置图

努列克大坝在设计时对高土石坝的抗震问题进行了大量计算和论证，并且在水库周围设置了20座地震观测台。大坝已经受了7级地震的考验，工作正常。坝体埋设了1 500余只各类监测仪器，施工期大坝和坝壳的实测沉降量分别为11.9 m和13.7 m。心墙渗透性低，渗透量为0.002～0.05 L/s，且保持稳定。

87. 奥洛维尔坝

——美国最高的土石坝

奥洛维尔坝位于美国加里福尼亚州费瑟(Feather)河上，距奥洛维尔市8 km。主要用途为蓄水、发电、防洪、旅游和养殖。水电站装机容量675 MW。

该工程于1961年开工，1967年建成。

坝址以上流域面积9 360 km^2，11月至次年3月份为雨季，七八月份为旱季，年平均降雨量1 778 mm。年平均径流量(上游引水后)43亿 m^3，实测最大洪峰流量7 530 m^3/s。大坝按450年一遇洪水设计，相应流量为12 460 m^3/s；计算的最大可能洪水相当于千年一遇，相应流量为20 388 m^3/s。水库有效库容33.12亿 m^3，水库面积6 390 km^2。

大坝坐落在变质火山岩层上，坝址地质为变质火成岩、角闪岩、花岗岩、石英岩和石灰岩，岩性坚硬致密，有中到大的裂隙，覆盖层厚18 m。

在大坝设计时，坝址附近未发现有活动断层。1967年，大坝建成投入运用。1975年8月1日，发生了里氏5.7级地震，表明坝址处实际上存在着活动断层。

枢纽主要建筑物包括大坝、溢洪道、发电隧洞和地下厂房。

大坝为斜心墙土石坝，最大坝高234 m，坝顶长2 019 m，是美国最高的土石坝。大坝上游坝坡自上而下为1∶2.2、1∶2.6和1∶2.75，下游坝坡为1∶2，坝体体积为6 116万 m^3。心墙顶厚15.4 m，底部设有很厚的混凝土垫座，它可以消除基础外形的突变，填充河床内的深槽，降低心墙宽度，挡住与坝体结合的上游围堰趾部，使其不侵入到心墙部位。坝轴线布置微向上游凸出，以便在水荷载作用下向下游挠曲时坝体受压。

奥洛维尔坝全景

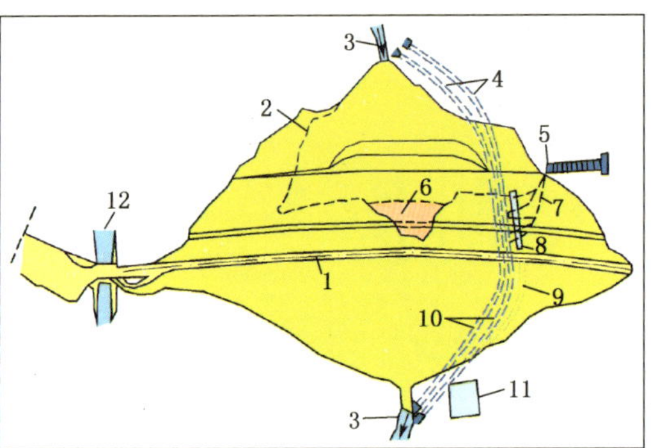

奥洛维尔坝枢纽布置图

1—坝轴线；2—1964 年填筑线；3—费兹尔河；
4—1 号和 2 号导流隧洞；5—进水口；6—垫座；
7—高压管；8—地下厂房；9—交通隧洞；10—尾水隧洞；
11—开关站；12—溢洪道

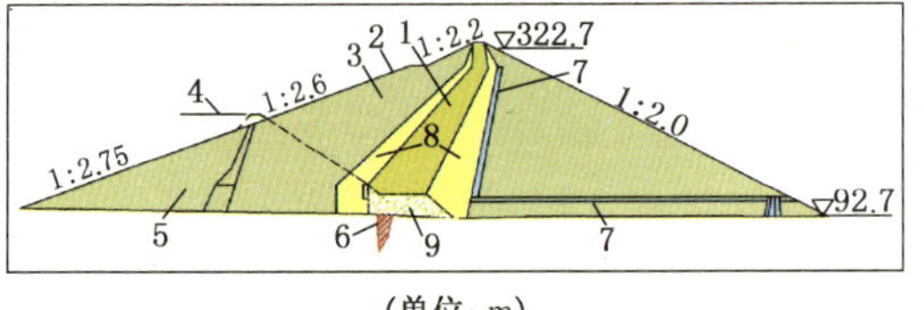

(单位：m)

奥洛维尔坝横断面图

1—防渗心墙；2—抛石；3—坝壳；
4—1964 年填筑的围堰顶；5—上游围堰；6—帷幕灌浆；
7—排水；8—反滤层；9—混凝土垫座

筑坝材料主要包括：①心墙料用级配良好的粘土、粉土、砂、砾石和最大粒径 76 mm 大卵石混合组成；②过渡层料用级配良好的粘土、砂、砾石、大卵石和最大粒径 380 mm 的块石混合组成（通过 200 号美国标准筛的料用 6%）；③坝壳料取自多年前淘金挖采所堆成的尾砂场土料，主要为砂、砾石、大卵石和最大粒径610 mm的块石（通过 4 号美国标准筛的料用 25%）。

溢洪道布置在右岸，安装有 8 扇弧门（每扇宽 5.4 m，高 10.1 m），泄量为 4 248 m^3/s。另外，还设有非常溢洪道，最大泄量 17 700 m^3/s。

地下厂房设在左坝肩地下，主厂房长 167.8 m、宽 21.4 m、高 36.6 m，安装 6 台机组，其中 3 台常规机组，单机容量 117 MW，另 3 台可逆式机组，单机容量 97.8 MW。

大坝抗震设计用已有地震资料，进行模型振动试验，验算大坝稳定安全系数，模型比例尺为 1∶400、1∶200。采用的抗震措施有：①清除覆盖层，大坝直接建在岩石上，消除基础可能发生的液化问题；②坝壳和心墙之间采用级配良好的砂砾石过渡区；③坝顶增加一定超高；④心墙料具有可塑性，以防产生裂缝等。该坝蓄水运行后，1975 年 8 月 1 日坝址附近发生过里氏 5.7 级地震，大坝按 6.5 级地震重新作了安全评估。

施工时大坝填筑用 100 t 自卸卡车上坝，最高日强度 9.4 万 m^3，平均年强度 1 491 万 m^3。心墙填筑每层厚 25 cm，用 100 t 气胎碾碾压；过渡层填筑每层厚 38 cm，坝壳填筑层厚 61 cm，都用振动平碾碾压。大坝经多年运行，情况良好，1970 年对大坝进行过观测，沉陷量为 18 cm，占坝高的 0.08%，水平位移 3 cm，渗漏量为 380 L/s。

88. 塔贝拉水利枢纽

——印度河干流上的综合利用水利枢纽

塔贝拉水利枢纽位于印度河干流上，在拉瓦尔品第西北约 64 km，是巴基斯坦开发印度河干流的一座综合利用水利枢纽工程，也是巴基斯坦东水西调的主要水源工程。工程具有灌溉、发电、防洪等效益。

塔贝拉水利枢纽于 1968 年开工，1976 年正式蓄水发电。

坝址控制流域面积 17 万 km^2，年径流量 790 亿 m^3。水库总库容 137 亿 m^3，有效库容 115 亿 m^3。枢纽主要建筑物有大坝、溢洪道、灌溉隧洞、发电引水隧洞和电站厂房等。

大坝为斜心墙土石坝，最大坝高 143 m。坝体填筑量 1.21 亿 m^3，是 20 世纪末世界上已建填筑量最大的土石坝。左岸设两座大型溢洪道，泄洪能力分别为 18 600 m^3/s 和 23 900 m^3/s，均采用挑流消能。右岸设两条灌溉隧洞和两条发电引水隧洞，厂房布置在右岸下游。后来，在左岸增设 1 条灌溉隧洞，将右岸原用于灌溉的 3 号隧洞改为发电引水隧洞，新装 4 台 432 MW 大机组，加上已装的 10 台 175 MW机组，使电站总装机容量达到 3 478 MW。

塔贝拉溢洪道泄洪

工程在运行过程中，进行了部分改造，如为增强辅助溢洪道

的稳定性，对其砂滤料进行更换；为降低右坝肩渗流量，进行了广泛的帷幕灌浆。工程的主要技术难题有以下几种。

(1) 深覆盖层上采用长铺盖防渗。由于坝基河床覆盖层较厚，最厚达210～230 m，设计防渗铺盖长1 740 m，端部厚1.5 m，至心墙处厚度增至12.8 m。1974年，水库因事故放空后，发现铺盖有裂缝和362个沉陷坑。修复时，将铺盖加长加厚，长度达2 347 m，最小厚度4.5 m。至1975年再次蓄水时，通过水下探测，又发现400多个沉陷坑，用抛土船抛土67万 m^3 后进行填补。之后，坝下游减压并排水量由1975年的19.75 m^3/s 降低到1983年的1.81 m^3/s，铺盖逐步稳定。

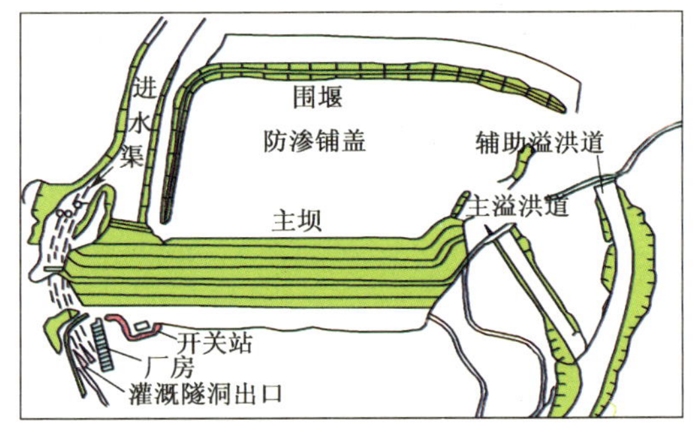

塔贝拉水利枢纽平面布置示意图

(2) 大型高压闸门。灌溉隧洞出口的弧形闸门工作水头137 m，总水压力约47 600 kN；发电引水隧洞中段平板工作闸门工作水头140.3 m，总水压力约92 000 kN。

(3) 导流建筑物施工难度大。工程施工分3期导流。其中，2期导流明渠总开挖量1 500万 m^3，设计流量21 500 m^3/s。在明渠尾部修建1座支墩坝，有28个溢流孔，作为快速封堵明渠之用。后期通过右岸4条隧洞导流，在导流任务结束后，4条导流洞分别改建为发电和灌溉隧洞。1974年，水库蓄水后不久，因2号隧洞闸门操作系统机械故障，引发高速水流空蚀，隧洞严重崩塌，冲刷右岸岩坡和下游消能设施，后用碾压混凝土进行处理。

89. 拉格朗德二级水电站

——加拿大已建的最大水电站

拉格朗德二级水电站位于加拿大魁北克省北部詹姆斯湾边远地区，在拉格朗德河口以上 117 km 处。1982 年建成，装机容量 5 328 MW，平均年发电量 358 亿 kW·h；后扩建 1 998 MW，装机容量共达 7 326 MW，平均年发电量增至 380 亿 kW·h，是加拿大已建的最大水电站。电站通过 735 kV 特高压输电线路送电至蒙特利尔用电中心，输电距离 1 100 km。

工程主要建筑物有主坝、副坝、溢洪道和水电站等。拉格朗德河长

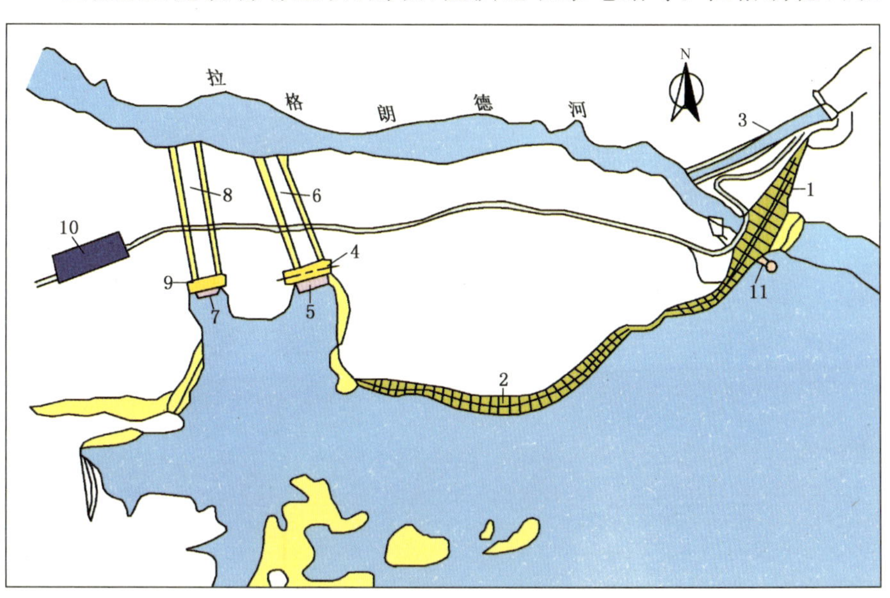

拉格朗德二级水电站平面布置图

1—斜心墙堆石坝；2—副坝；3—岸边溢洪道；4—一期地下厂房；5—一期进水口；6—一期尾水洞；7—二期进水口；8—二期尾水洞；9—二期地下厂房；10—开关站；11—导流隧洞

861 km，流域面积 9.8 万 km^2，平均年降水量 750 mm，平均年径流量 536 亿 m^3。另从相邻的卡尼亚皮斯科河和伊斯特梅恩河跨流域引水 391 亿 m^3，使总的平均年径流量达 927 亿 m^3。拉格朗德二级水电站正常蓄水位 175.3 m，相应库容 617 亿 m^3，调节库容 193.6 亿 m^3。连同上游拉格朗德三级、四级和卡尼亚皮斯科河等邻近所建的几座大水库，总调节库容达 936 亿 m^3，相当于跨流域引水后总的平均年径流量的 1.01 倍，调节性能良好。库区移民和淹没损失很少。

坝址区基岩为花岗岩，覆盖层厚 20 m。主坝为斜心墙堆石坝，坝高160 m。溢洪道位于主坝右侧，设 8 个溢流孔，泄洪能力为 15 300 m^3/s，泄流槽长 1 750 m，尾部用鼻坎挑流入河。水库周围有副坝 30 座，长 60～6 000 m 不等，累计共长 21 km。

一期地下厂房位于主坝下游左侧岸边，经 16 条直径 8 m 的压力斜洞引水入地下厂房。主厂房长 438.4 m、宽 26.5 m、高 47.3 m，是世界上最大的地下厂房。厂房内装 16 台单机容量为 333 MW 的水轮发电机组，设计水头 137.1 m。尾水通过 4 条各长 1 220 m、宽 13.7 m、高 19.8 m 的尾水隧洞下泄入下游河道，并且建有调压室。二期扩建地下厂房布置在一期地下厂房下游约 1 km 处，安装 6 台单机容量 333 MW 的水轮发电机组。

1971 年成立詹姆斯湾开发公司，一期工程动工。1973 年地下洞室开工，1979 年第一台机组发电，至 1982 年 16 台机组全部安装完毕，总工期 9 年。二期扩建工程于 1987 年开工，1991 年开始发电，1992 年完成。

90. 塞沙那坝

——世界上最早使用振动碾碾压的混凝土面板堆石坝

塞沙那坝混凝土面板堆石坝

塞沙那坝位于澳大利亚塔斯马尼亚岛北部福斯河上，工程主要目的是发电，1971 年建成。枢纽工程由大坝、溢洪道、电站和导流隧洞组成。福斯河流域降水丰沛，年降雨量约为 2 000 mm。坝址位于陡峭的峡谷中，基岩为奥陶纪石英岩和石英砾岩。水库总库容约为 1.46 亿 m^3，水电站装机容量 100 MW。

溢洪道布置在左岸坝肩，边坡高约 80 m，其引渠侧墙靠着堆石坝体。溢洪道泄量为 2 000 m^3/s。

水电站布置在右岸，由引水建筑物、地下厂房和尾水隧洞组成。

大坝为混凝土面板堆石坝，最大坝高 110 m，坝顶长 213 m，上下游坡度均为 1∶1.3。上游面从坝顶到坝脚分成 12.2 m 宽的面板，在靠近坝肩处再分成 6.1 m 的宽度。面板施工采用滑动模板。每个面板铺筑完后不间断地用水养护，直至水库开始蓄水。纵向接缝、周边缝采用橡胶止水和铜片止水，坝基进行帷幕灌浆和固结灌浆。考虑到施工期间大坝要过水，其下游面的设计防护高度为 36 m。1968 年 11 月，460 m^3/s 的洪水流量漫坝，单宽流量

为 7 m^3/s，因这时下游面防护高度仅为 16 m，下游面被冲走填石 15 000 m^3。

塞沙那坝是世界上最早使用振动碾碾压的混凝土面板堆石坝。坝体中心 3B 区最大粒径 600 mm，层厚 0.9 m，用 10 t 振动碾碾压 4 遍。下游 3C 区层厚 1.35 m，级配范围比 3B 区稍宽，压实方法同 3B 区。上游 2 区采用最大粒径为 150 mm 的优质细石，层厚 0.45 m。上游 3A 区，采用筛选的石料，最大粒径 375 mm，层厚 0.45 m。通过在坝体内安置综合测量系统，对坝体和面板位移进行监测。早期结果表明，大坝性能良好，包括地基渗流在内的总渗漏量仅为 0.035 m^3/s。

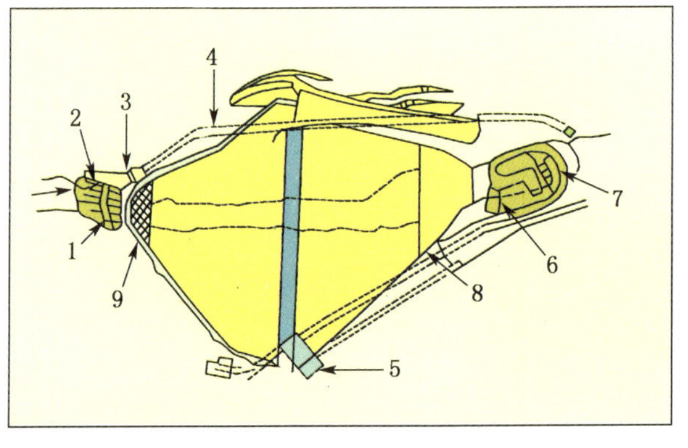

塞沙那坝平面布置图

1—上游一期围堰；2—导流墙；3—导流洞闸门井；4—导流洞；5—发电站；6—尾水洞门井；7—下游围堰；8—下游钢丝网护面；9—厚层沥青处理(二期围堰)

91. 图库鲁伊水电站

——世界上岸坡溢洪道泄量最大的土石坝

图库鲁伊水电站位于巴西北部的亚马逊地区托坎廷斯河下游，距港口贝伦市 320 km。一期装机 4 245 MW，年发电量 228 亿 kW·h；二期扩建 4 125 MW，共达 8 370 MW，年发电量 324 亿 kW·h，是巴西第二大水电站。

电站为开发当地丰富的铁矿和铝矾土等资源供电，是巴西经济重心向北转移的一项重大工程。

图库鲁伊水电站

电站一期工程于 1974 年开始作施工准备，1975 年 11 月主体工程开工，1984 年第 1 台机组发电，1989 年一期工程完建，总工期 14 年。二期扩建工程于 1999 年开工，首台机组于 2002 年投入运行。

托坎廷斯河长 2 500 km，与亚马逊河干流在同一地区注入大西洋。流域处于赤道附近的热带雨林区，平均年降水量 1 500～2 000 mm。坝址以上流域面积 75.8 万 km^2，多年平均流量 11 000 m^3/s。坝址基岩由古老的下寒武纪前期到近代第四纪沉积组成，有结晶岩、火成岩和变质岩，断层裂隙发育。水库正常蓄水位 72 m，总库容为 503 亿 m^3，调节库容 353 亿 m^3。

挡水前缘总长 7 810 m。河床部分跨越顺河向断层，为斜心墙堆石坝，最大坝高 98 m，长 1 310 m。右侧接土坝，最大坝高 85 m，长 2 611 m。河床左侧为溢流坝段，最大坝高 86 m，长 580 m，设 23 个泄洪孔，设计泄洪能力

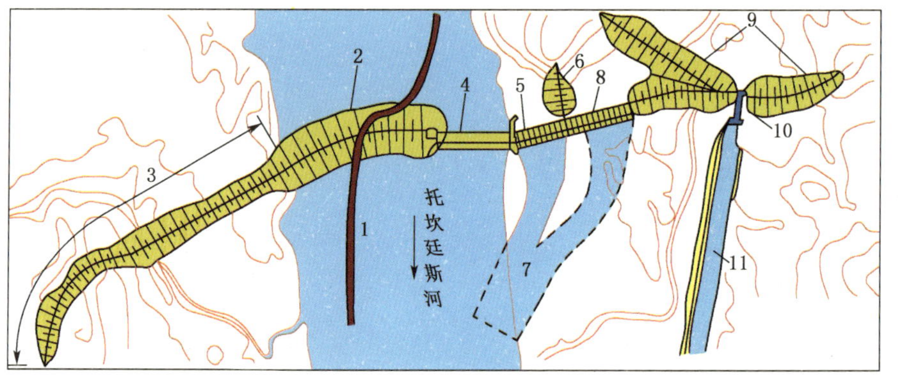

图库鲁伊水电站平面布置示意图

1—推力断层；2—河床堆石坝；3—右岸土坝；4—溢流坝段；
5—一期厂房坝段；6—一期纵向堆石坝；7—尾水渠；8—二期厂房坝段；
9—左岸 Y 形土坝；10—上级船闸；11—中间航渠

10 万 m^3/s，库水超高至 74 m 时，可泄洪 11 万 m^3/s，是世界上规模最大的溢洪道。

大坝左岸紧接溢流坝段的为一期厂房坝段，长 400 m。厂房末端与上游小山包相联的一期纵向堆石坝，长 460 m。再向左为二期厂房坝段及长 2 330 m 的 Y 型土坝。左岸留有船闸位置。

一期厂房内安装 12 台水轮发电机组，额定水头 60.8 m，单机容量 35 MW，还有两台单机容量为 22.5 MW 的厂用电机组。二期厂房内安装 11 台 375 MW 的机组。

92. 阿瓜米尔帕坝

——20 世纪世界上最高的面板堆石坝

阿瓜米尔帕坝位于墨西哥纳亚里特州中部圣地亚哥河上，距州首府特皮克 52 km。工程的主要任务是发电、防洪和灌溉等。

工程于 1990 年 8 月开工，1994 年 9 月建成发电。

坝址以上流域面积为 73 834 km^2，平均流量 220 m^3/s。水库总库容 69.5 亿 m^3，灌溉面积 10 万 hm^2。电站总装机容量 960 MW，多年平均年发电量 21.3 亿 kW · h。

枢纽主要建筑物有混凝土面板堆石坝、溢洪道、引水系统和地下厂房。

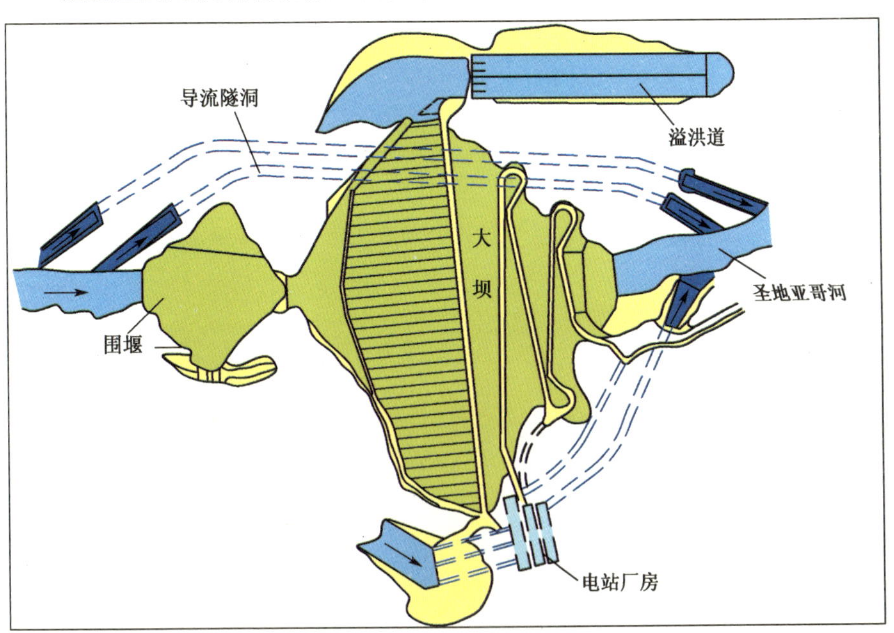

阿瓜米尔帕坝平面布置图

大坝为混凝土面板堆石坝，最大坝高 187 m，是 20 世纪世界上最高的面板堆石坝。上游坝坡为 1∶1.5，下游坝坡为 1∶1.4，防浪墙高 3 m，坝体总体积为 1 300 万 m^3。坝址基岩为流纹状熔灰岩，有 6 条断层通过，另有 4 组主要裂隙，河床覆盖层厚 3～26 m。大坝趾板直接坐落在岩基上，趾板下游 90 m 以后的冲积层保留作为堆石体地基，坝基和坝体内不设竖向和水平排水层。大坝填筑分 5 期进行，各种填筑料一般用 160 kN 振动平碾碾压。混凝土面板每块宽 15 m，底部厚 0.85 m，顶部厚为0.30 m，配筋率为双向 0.5%～0.3%。

阿瓜米尔帕大坝全景

阿瓜米尔帕大坝

溢洪道布置在左岸，设有 6 扇闸门，设计泄量 14 900 m^3/s。引水系统和地下厂房布置在右岸，厂房内安装 3 台 320 MW的水轮发电机组。

该坝的施工导流标准采用 47 年实测最大洪水，洪峰流量为 6 700 m^3/s，上游围堰高 55 m，设两条 16 m 直径的不衬砌导流洞。为考虑超标准洪水，在右岸紧靠上游围堰处设一带有自溃堤的明渠，以备遇大洪水时向基坑预先冲水，减小过流的冲刷。工程实际施工时，截流后遇到两次超标准洪水，最大一次达 10 800 m^3/s，水位高出堰顶 5.6 m，但幸未超过施工中的堆石料填筑高程，仅造成上游坡面的局部损坏。

1994 年 10 月库水位达 218 m，渗流量突然增加到 260 L/s，之后库水位最高曾达到 223.46 m。1998 年 2 月经潜水员检查发现，面板 180 m 高程上有一水平裂缝，延伸长度横贯 11 块面板。在此以后 3 年又延伸 3 块面板，裂缝最大宽度 15 mm，在库水位达到 220 m 时渗漏量会明显增大。由于坝体下游堆石区弹性模量比上游砂砾区小得多，导致面板弯曲应力过大而开裂。现变形已趋稳定，裂缝不再发展，不影响坝的安全，故只在缝面用海普龙膜包裹的粉煤灰做封闭处理。

93. 迪诺维克抽水蓄能电站

——英国最大的抽水蓄能电站

迪诺维克抽水蓄能电站位于英国北威尔士的班戈尔附近，是一座纯抽水蓄能电站。电站在低谷负荷时全功率抽水6 h，可在高峰负荷时全出力发电5 h，年发电量 17 亿 kW·h。

迪诺维克抽水蓄能电站

电站于 1974 年开工，1982 年第 1 台机组投入运行，1984 年 6 台机组全部投产。总投资 4.5 亿英镑。

迪诺维克抽水蓄能电站的上水库是利用原有的马切林摩尔湖扩建，修筑了一座堆石坝，最大坝高69 m，坝顶长 600 m。坝的上游面采用沥青混凝土面板防渗。水库最高蓄水位634 m，最低运行水位 600 m，有效库容 670 万 m^3。

下水库莱恩贝利斯湖也是一个天然湖泊，修筑的堆石坝，扩大了湖面。最大坝高 35 m，运行水位高程为 92～106.25 m，有效库容 700 万 m^3。

电站厂房为地下式，安装 6 台 300 MW 的可逆式机组，总装机容量 1 800 MW，是英国最大的抽水蓄能电站，也是欧洲最大的抽水蓄能电站之

一。机组发电时的最大水头 537.5 m，设计水头 534 m，最大流量 390 m^3/s。抽水时的最大扬程 545 m，额定扬程 496 m。

迪诺维克抽水蓄能电站地下开挖石方达 125 万 m^3，洞室总长约 16 km，洞室布置及闸阀较复杂。

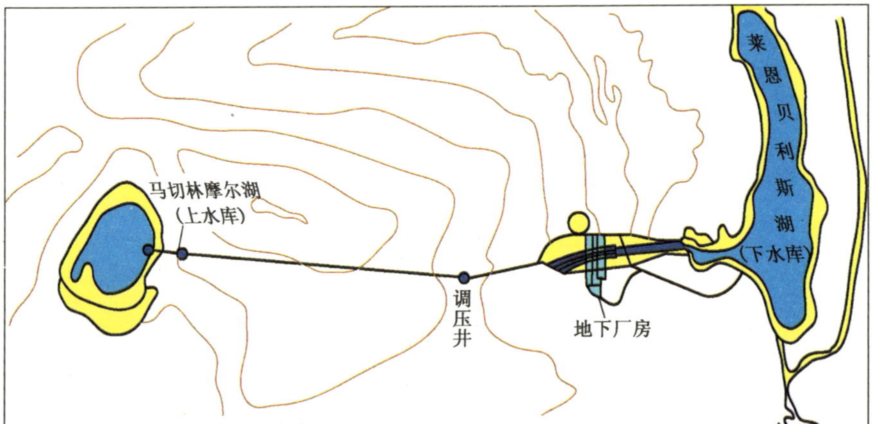

迪诺维克抽水蓄能电站平面布置示意图

电网对迪诺维克抽水蓄能电站快速响应能力要求很高，该电站能在 10 s 内从空载到出力 1 320 MW；在紧急情况下 90 s 从满入力抽水转到满出力发电，每天允许工况转换达 40 次。

94. 巴斯康蒂抽水蓄能电站

——世界装机容量第二大抽水蓄能电站

巴斯康蒂抽水蓄能电站(1)

巴斯康蒂抽水蓄能电站位于美国弗吉尼亚州西北部，为纯抽水蓄能电站。电站投入运行可为美国弗吉尼亚电力公司(VEPCO)和阿业松尼电力系统公司的250万用户提供2 100 MW尖峰电力，使带基荷的火电机组获得较高效益，降低发电成本，节约燃料。

工程于1977年开工，中途因故缓建，1985年11月正式投入运行，工程总造价16.5亿美元。

电站枢纽包括上水库、下水库、引水隧洞和电站厂房等部分。

巴斯康蒂抽水蓄能电站(2)

上水库建在小巴克溪上，大坝为粘土心墙土石坝，最大坝高140 m，坝顶长670 m，水位变幅32 m。水库总库容4 702万m^3，有效库容2 775万m^3，可供6台350 MW机组11 h满负荷运行。

下水库坐落在巴克溪上，建有一座粘土心墙土石坝，最大坝高41 m，坝顶长730 m。水库总

库容 3 760 万 m^3，有效库容 2 780 万 m^3。

压力引水隧洞共 3 条，直径8.7 m，长 1 700 m，轴线转弯处各设一调压井，高 103 m，直径 13.4 m，后接 6 条压力管道引水进入水泵水轮机。

抽水蓄能电站厂房设在下水库的右岸，距坝 1.6 km 处。厂房为地面式，安装 6 台单机容量 350 MW 的可逆式机组，总装机容量 2 100 MW，是世界上装机容量第二大的抽水蓄能电站。发电设计水头 329 m，单机过流量 130 m^3/s。抽水设计扬程 335 m，抽水最大流量 116 m^3/s，抽水最小流量 85 m^3/s。每台机组装有快速启动装置，以利提供紧急备用容量。启动方式采用变频启动。电站运行中的各种参数都由计算机控制。

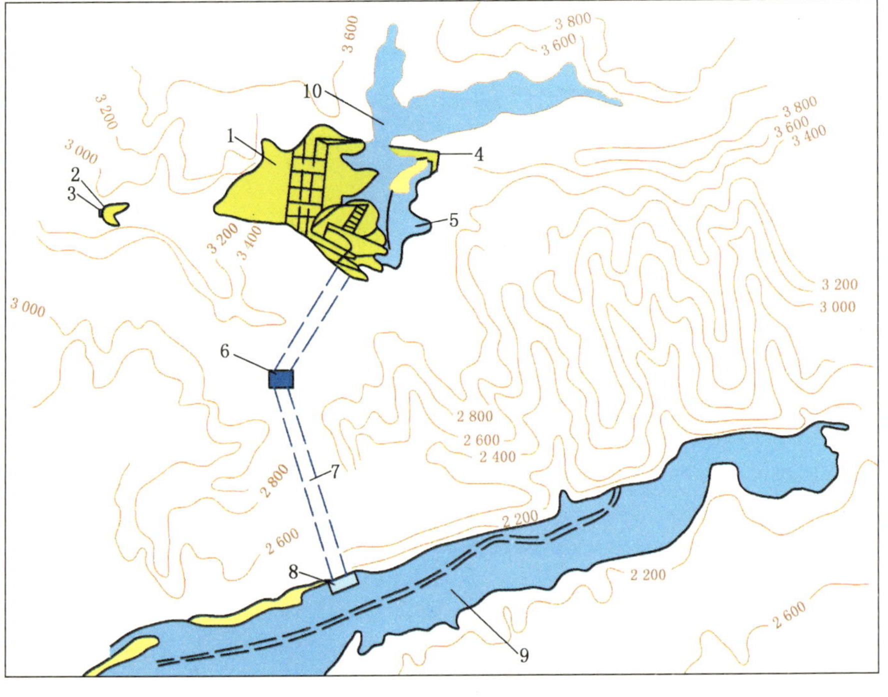

巴斯康蒂抽水蓄能电站平面布置图

1—上水库土石坝；2—下游围堰；3—溢洪道；4—上游围堰；5—临时溢洪道；6—调压井；7—引水隧洞；8—厂房；9—下水库；10—上水库

巴斯康蒂抽水蓄能电站在设计中保持原有的农村风貌，并且为旅游者建立了游乐场。

95. 朗斯潮汐电站

——世界上最大的潮汐电站

朗斯潮汐电站位于法国西北部英吉利海峡圣马洛湾的朗斯河口，是法国20世纪60年代建成的世界最大潮汐电站。

电站于1961年1月开工，1966年8月首台机组发电，1967年12月24台机组全部投入运行。工程总造价为5.7亿法郎。

朗斯河口宽约750 m，是世界上大潮差地点之一，平均潮差约8.5 m，最大潮差13.5 m，最小潮差约5.4 m。在河口筑坝形成水库，库内最高水位可达13.5 m，最低水位0.0 m，水库有效库容1.84亿m^3。电站开发方式为单库双向发电。枢纽建筑物自右至左由水闸、堤坝、厂房和船闸等组成。

水闸为平底堰闸型，长115 m，共6孔，每孔净宽15 m。临海侧进水口纵向做成喇叭状，以减少水头损失，有利于涨潮时充水。堤坝为混凝土心墙堆石坝，坝长164 m，最大坝高25 m，坝顶宽38.2 m，兼作公路通道，临海侧坝坡用大块石护砌。发电厂房总宽53 m，总长386 m，共分28段，设24个机组段，左边3段为装配间。船闸紧靠左岸，闸室宽13 m，长65 m，由两扇人字门挡水。

朗斯潮汐电站

电站装机容量240 MW，安装24台单机容量10 MW的可逆

贯流灯泡式机组，机组可作双向发电、双向泄水和双向抽水 6 种工况运行。电站设计年发电量 6.08 亿kW·h，年抽水用电量 0.64 亿 kW·h，相抵后年净发电量 5.44 亿 kW·h。

朗斯河口(1)

朗斯河口(2)

96. 雪山调水工程

——以发电、灌溉为主的跨流域调水工程

雪山调水工程是澳大利亚为利用雪山地区水资源而调水到内陆河流进行灌溉、发电和供水的一项跨流域调水工程，工程主体位于澳大利亚东南部的新南威尔士州。

雪山调水工程于 1949 年开工，1974 年全部建成，历时 25 年。

澳大利亚雪山地区降水充沛，有 5 条主要河流，即墨累河、马兰比吉河、雪河、蒂默特河和图马河，而内陆水资源却严重匮乏。国家早在 19 世纪 80 年代后期，就开始研究雪山调水方案。1947 年，澳大利亚联邦政府、新南威尔士州政府和维多利亚州政府三方成立了专门委员会，进一步研究雪山调水工程，于 1948 年提出雪山调水工程方案。工程主要包括以下两部分。

(1) 雪河—墨累河跨流域引水工程。在雪河上建金德拜恩水库，通过金德拜恩泵站将水抽入艾兰本德水库，并且引水到吉黑水库，再将水引到吉黑河下游，归入墨累河。

(2) 雪河—蒂默特河跨流域引水工程。在马兰比吉河上游建坦坦加拉水库，通过隧洞将库水引入尤坎本河上新建的尤坎本水库，再通过另一隧洞将水引入蒂默特水库。另外，在图马河上建图马水库，也通过隧洞将水引入蒂默特水库。汇集到蒂默特水库的水则可顺蒂默特河上所建梯级水电站而下，既用于发电又向供水区供水。

上述两跨流域引水工程分别与尤坎本湖(水库)相连接，采用双向供水方式，充分利用流域内河流、湖泊的天然水量。

主要工程有：16 座大坝，总库容 85 亿 m^3；7 座水电站，总装机容量 3 740 MW，年发电量 50 亿 kW·h；2 座扬水站；80 km 引水管道和 144 km 引水隧洞。工程建成后，每年提供工农业用水 23.6 亿 m^3，灌溉耕地总面积

雪山调水工程平面布置示意图

26 万 hm^2。同时，为南澳首府阿德莱德 88.5 万人口的城市用水及重要工业区铁三角提供水源保证。

雪山调水工程实施现代化管理，所有水电站均采用遥控无人值守，不但可连续提供各水库蓄水、发电运行情况和各种需要的图像，而且还提高了水电站的运行效率。

97. 加利福尼亚州调水工程

——美国西部大型调水工程

加利福尼亚调水工程

加利福尼亚州调水工程位于美国西部太平洋沿岸的加利福尼亚州（简称加州），是美国西部的大型调水工程。工程旨在解决加州中部、南部以及洛杉矶地区的缺水问题。加州年降水量地区分布不均，北部多而南部少，北部高达2 000 mm，南部则仅 350 mm，科罗拉多沙漠地区年降水量更少。其主要河流有克拉马思河、伊尔河、位于中央河谷的萨克拉门托河、圣华金河，多年平均年径流量达 874 亿 m^3，其中 3/4 在北部，而需水量的 4/5 在南部。

加州调水工程于 1959 年开工，1985 年建成。工程分两期进行，一期调水 28 亿 m^3，二期调水达 52 亿 m^3，其中向南部调水约占 59%。工程包括 23 座水库（总库容 71 亿 m^3），5 条输水干渠（总长 1 102 km），6 座水电站（装机 1 360 MW）及 22 座扬水泵站（总扬程 2 396 m）。其中费瑟河上的奥罗维尔坝坝高 234 m，库容 43.6 亿 m^3，于 1967 年建成。水电站装有 6 台机组，总装机容量为 644 MW。所建的扬水泵站中，埃德蒙斯顿泵站是一系列泵站中规模最大的，其扬程高达 587 m，装泵 14 台，每台抽水流量为 8.9 m^3/s，总流量约 125 m^3/s。

工程建成后，可满足用水需要，包括灌溉圣华金河流域 10.13 万 hm^2 新垦土地并补充另外 5.06 万 hm^2 原有耕地的灌溉用水，保证以洛杉矶为中心

的1 700万人口的生产与生活用水，防止冬春季洪水泛滥，同时开发水电资源，开辟几十处旅游区，并且尽可能降低水费。

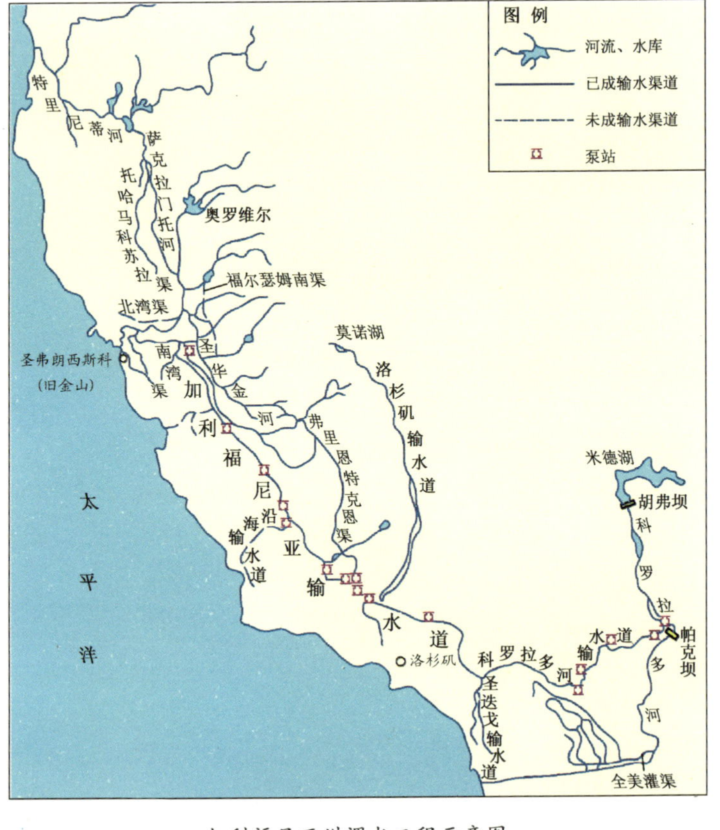

加利福尼亚州调水工程示意图

调水工程的主要线路是将从奥罗维尔水库引出的水，经费瑟河与萨克拉门托河下泄，流经萨克拉门托河—圣华金河三角洲后，分流入加利福尼亚水道。该水道为调水工程的主要输水设施，主干全长 715 km，其中明渠 620 km，隧道 19 km，压力管道 66 km，水库库区 10 km。另外，该水道还附有 4 条支水道，即南湾水道、北湾水道、海岸支水道和西支水道，构成了加州调水工程的引输水系统。

加州调水工程投入运行后，由于大量引用萨克拉门托河与圣华金河的淡水，流入旧金山湾的淡水约减少 40%，致使海湾水质恶化，影响了海湾水生生物的生存环境，使海水侵入三角洲，给生态环境带来了不良影响。为此，加州政府与联邦政府达成协议，对引水量进行适当控制。

98.巴基斯坦西水东调工程

——跨流域调水工程

巴基斯坦西水东调工程是巴基斯坦伊斯兰共和国境内的跨流域调水工程。工程从巴基斯坦西部印度河干流及其支流调水，为东部农田提供灌溉水源。

1960 年，印度和巴基斯坦两国签订了《印巴印度河用水条约》，规定西部

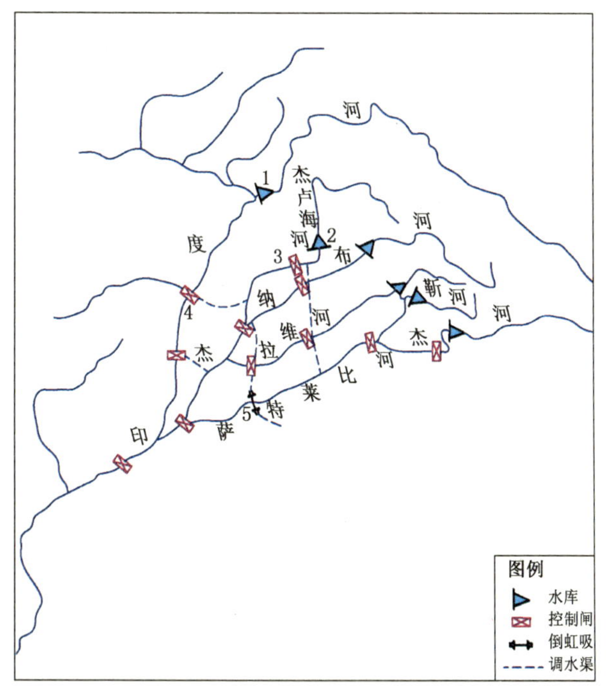

巴基斯坦西水东调工程示意图

1—塔贝拉水库；2—曼格拉水库；3—腊苏尔闸；4—查希马闸；5—迈尔西倒虹吸

印度河干流和支流杰赫勒姆河、杰纳布河来水由巴基斯坦使用，东部支流拉维河、比阿斯河和萨特莱杰河来水由印度使用。巴基斯坦原来靠东部3条河供水灌溉的153万 hm^2 耕地改由西部河流供水，为此制定了由西部3条河下游地区调水的西水东调工程规划。这项规划与印巴分治后大量穆斯林教徒迁居巴基斯坦有关，因此又称印度河流域定居规划。

巴基斯坦西水东调工程于1960年开工，除塔贝拉水库因施工中发生事故延至1977年发电外，大部分工程已在1971年前陆续完成，实现了调水目标。

巴基斯坦西水东调工程规划要点是在西部河流上游兴建大型水库，调蓄径流，同时开发水能资源。利用由北向南倾斜的地势条件，开挖几条渠道自流引水至东部灌区。工程主要枢纽建筑物包括以下几种。

(1) 大型水库。在印度河干流和支流杰赫勒姆河上分别兴建了塔贝拉水库和曼格拉水库。塔贝拉水库总库容137亿 m^3，有效库容115亿 m^3，电站装机2 100 MW。曼格拉水库总库容72.5亿 m^3，有效库容65.9亿 m^3，电站装机1 000 MW。

(2) 控制枢纽。在各引水渠首和引水渠穿越河道处，共建设6座控制枢纽。它们是印度河上的杰什马、杰赫勒姆河上的拉苏尔、杰纳布河上的马拉拉、加迪拉巴德·拉维河上的锡特奈和萨特莱杰河上的迈尔西。这些枢纽除萨特莱杰河上的迈尔西采用倒虹吸工程与河道立交外，其余均与河道平交，每座枢纽由拦河闸和进水闸组成。

(3) 连接渠。西水东调工程有3处引水口，3条引水线路被沿途通过河流分割为8条连接渠，总长593 km。连接渠利用地面坡降向下游自流引水，平均坡降约1/10 000。连接渠与排水沟交叉多采用立交工程，各渠段未修建船闸，只按渠道条件分段通航。

工程的实施保证了巴基斯坦东部农田的灌溉水源，改善了印度河流域的灌溉体系，并且为城乡提供了大量廉价的电力，效益十分显著。

99. 罗马水道

——古代城市供水系统的输水槽

罗马水道是指古代罗马帝国城市供水系统的输水槽。古罗马城在公元 1 世纪已有较好的供水系统，历代花费了巨大的人力、物力和财力，保证了罗马城的用水，对城市建设起到了重要作用。

罗马水道

罗马水道在水源的开发、调蓄、分引、输水和保证城市用水方面均有显著成就。泉水和凿井汲水是罗马水道的主要水源，大多分布在郊外，当水源不足时，由若干泉、井的水量汇集于水库内，再向水道供水。据称当时罗马城有 11 条供水干渠通往城内，著名的如阿皮亚水道。罗马城的供水干渠是从郊外水源地用高架水槽引至城内，城内配水管道遍布于街道、小巷，供人民生活饮用、洗涤、沐浴等需求及消防用水。罗马水道向城区供水，由其管理机构向用水户按人头征收水税。

输水槽拱式支承结构

罗马水道的输水槽大部分为砖石结构。水道上层是砖砌渠道，断面多呈矩形，宽约 0.6～1.0 m，高约 1.6～2.6 m，顶部一般设有盖板，每间隔 80 m 左右留一个气孔或观测

孔;水道下层为拱式支承结构。有些输水槽还有上下重叠的两三层渠道。城内的分引水管有铅管、陶管等,形成罗马城较完整的供水系统。

法国加尔水道桥是古罗马帝国在法国南部建造的一座渡槽,位于加尔省勒穆兰附近,跨加尔河。大桥共三层,总高 49 m,总长 275 m。最下层:6 跨拱,长 142 m,宽 6 m,高 22 m;中间层:11 跨拱,长 242 m,宽 4 m,高 20 m;最上层:47 跨拱,长 275 m,宽 3 m,高 7 m。大桥最下层是一条道路,顶层则是一条输水渠道,渠道深 1.8 m,宽 1.2 m,并带有 0.4%的坡度。

法国加尔水道桥

100. 荷兰鹿特丹港

——世界最大的港口

鹿特丹港位于莱茵河支流新马斯河和老马斯河交汇的入海口处，是荷兰最大港口，也是世界著名的大港之一。自 20 世纪 70 年代初起，该港的货物吞吐量一直居世界港口首位，是西欧散货、原油、散粮和集装箱最大的物流中心。

鹿特丹港名首见于 1283 年，当时为鹿特河河口的一小块围垦地。1328 年成为城镇，1340 年成为主要港口。1863 年，鹿特丹港开始建设长 31.5 km 的开敞式“新水道”，将下莱茵河和鲁尔区的工业基地与北海连通，以解决海湾淤积和船型增大而不能通航的困难。由于“新水道”的开挖成功，1870 年开始进行港池建设，建设的重点由新马斯河北岸转到了南岸，港池由东向西逐步转向海口发展。第二次世界大战后，在新马斯河的南岸继续建港和将散货码头改造成件杂货码头。自 1947 年以来，先后兴建了 3 个大型港区和工业区，大大促进了石油、矿石、散粮和集装箱船舶装卸及船舶大型化发展。到 1970 年，该港的吞吐量突破 2.0 亿 t，1973 年曾达到 3.1 亿 t，2000 年达到 3.23 亿 t，居世界第一位。

荷兰鹿特丹港

鹿特丹港属海洋性气候，晴朗无雨天气较少，年平均雾天约 35 天。海港水域不设闸，进港航道疏浚深达 23.5 m，在港口口门处设一道分水堤，将驶

向欧罗港区和老港区的船舶分开。港区设施主要如下：

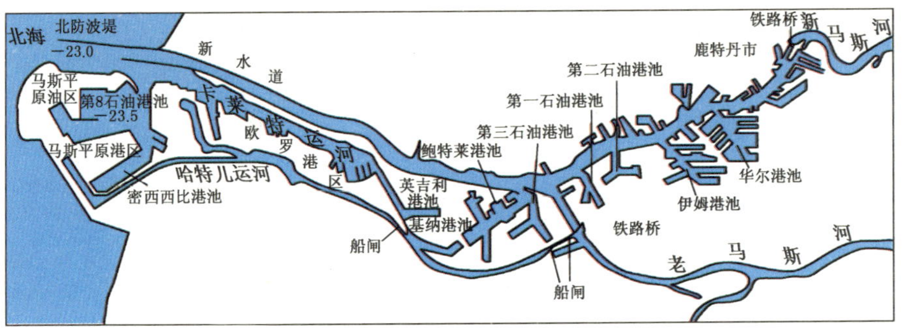

鹿特丹港平面布置示意图

(1) 集装箱码头(包括多用途码头)。码头线总长 16 702 m，占地面积 413.8 hm^2。

(2) 散货装卸码头。码头线长 4 156 m，海运码头和内河码头配套。

(3) 特种货物装卸码头。码头线长 1 340 m，有较好的冷藏设施。

(4) 滚上滚下码头(渡轮)。码头线长 1 444 m，占地 34.5 hm^2。

(5) 油轮码头。共有泊位 71 个，分属壳牌、德克萨斯/埃索、科威特石油公司等世界著名的石油公司。

(6) 捆绑船浮筒。共有泊位 6 个，长度为 160～300 m，水深 11.65～13.15 m。

鹿特丹港是一个市辖港，该港由国家、市政和私人企业共同负责。国家负责整治和维护北海与港口之间的航道，设置浮筒和灯标，并且负责该段航道的导航。鹿特丹市政府拥有港区内的港口设施，如港池、码头和场地，还负责港区内的导航、维持秩序和安全。私人企业向市政府租借港口设施，然后建造地面以上设施。

附录：有关专业名词解释

1. 流域面积

亦称“集水面积”、“汇水面积”。河流或湖泊由地表水及地下水的分水线所包围的地面在水平面上的投影，以 km^2 计。大多先从地形图上定出分水线，然后用求积仪或其他方法求得。地表水及地下水的分水线是不完全一致的，分水线通常是分水岭最高点的连线，此线两侧的降水分别注入不同的流域。

2. 水利工程

为防治水害和开发利用水资源而兴建的各项工程的总称。自然界的水在地区上、时间上的分布及其存在的自然状态，不能与人类的需要完全相适应，为满足人类生活、工农业生产、交通运输、能源供应、环境保护和生态建设等方面的需要，防治水旱灾害并充分合理地利用水资源，常需要统筹规划，因地制宜地修建一系列的工程，包括防洪、灌溉、水力发电、航运及城市供水、排水等工程。

3. 水利枢纽

为实现除害兴利目标，由若干个类型、功能不同的水工建筑物组成的综合体称为水利枢纽。枢纽中的各种水工建筑物既能各自发挥作用，又能彼此协调。如为了发电，除了必须建造水电站厂房外，还需要建造拦河坝和输水建筑物。河道筑坝以后，为了满足通航要求，又必须建造船闸等。大多数水利枢纽都是为了满足多目标开发而修建的，常称为综合利用水利枢纽。

4. 挡水建筑物

用以拦截江河渠道、壅高水位，或为防御洪水而沿河滩、海岸修建的水工建筑物。包括各种坝、闸、堤和海塘等。拦河修建的溢流坝、河床式水电站和(船)闸等除满足各自的功能要求外，也起挡水作用，亦可视为挡水建筑物。挡水建筑物以坝最为典型，类型较多，按建筑材料分有混凝土坝、当地材料坝。混凝土坝包括重力坝、拱坝、支墩坝；当地材料坝包括浆砌石坝和土石坝。土石坝按施工方法不同可分为碾压式土石坝、定向爆破坝、水力冲填坝、水中倒土坝和水坠坝等。按防渗体在坝体内的位置不同，土石坝又可分为心墙坝、斜墙坝和斜心墙坝等。

随着科学技术的不断发展，新的施工机械和新材料的出现，挡水建筑物的类型也不断推陈出新，如混凝土坝中的宽缝重力坝、空腹重力坝以及目前流行的碾压混凝土坝等，土石坝坝型中出现了混凝土面板堆石坝和复合土工膜防渗土石坝等。

重力坝　主要依靠自身重量来抵御水压力而维持稳定的一种坝。一般用混凝土或浆砌石建成，基本剖面接近直角三角形，上游面近于铅直，下游面坡度在 0.7～0.8 之间。按坝体结构类型分有实体重力坝、宽缝重力坝和空腹重力坝。按坝身是否泄水分有溢流坝和非溢流坝两种。重力坝结构简单，体积较大便于机械化施工，也便于各种泄水、取水布置，且安全可靠，耐久性好。但是，坝基扬压力大，坝体材料强度不能充分利用，施工期混凝土温度控制要求高。因此，在设计中应注意改进结构类型，尽可能减少工程量。施工中要注意改善混凝土施工工艺。20 世纪 70 年代以来，重力坝已开始使用干硬性混凝土通仓薄层铺筑、振动碾碾压施工的新工艺，碾压混凝土重力坝已成为一种有竞争力的新坝型。

宽缝重力坝　坝段之间设置有一定宽度横缝的重力坝。宽缝的宽度通常占坝段宽度的 20%～35%。坝基中的渗水可从宽缝的底面排出，不仅坝底的渗透压力显著降低，而且扬压力的作用面积也比实体重力坝减小，且工程量比同样高度的重力坝一般可节省 10%～20%。施工期间，宽缝的缝面有助于散热，缺点是模板工程量较大。

空腹重力坝　亦称“空腹坝”。在坝体腹部布置纵向大孔口的重力坝。由于纵向大孔口的存在，地基渗流从孔洞底部排出，大大降低了坝底的渗透压力，从而节省坝体混凝土方量。利用坝体内空间可将发电厂房布置于坝内，解决溢流坝同坝后厂房布置上的矛盾，并且可缩短引水钢管、节省厂房的开挖工程量。施工时的散热条件也可以得到改善。该坝型施工较为复杂，坝身应力状态可能趋于不利，坝内布置厂房时，须有较多防渗、防潮和止水措施及通风给水等设施。

拱坝　平面上呈拱形凸向上游，借助拱作用把水压力的一部分或全部传到河谷两岸岩体的坝。主要依靠坝体材料的抗压强度和两岸拱座岩体的支撑来维持稳定。拱坝的结构作用可视为两个系统：即水平方向的拱系统和竖直方向的梁系统。水压力和温度等荷载作用由这两个系统共同承担，各自承担荷载的多寡视河谷宽高比（坝顶高程处河谷宽度与坝高的比值）而变，宽高比较小时，拱的作用大，反之梁的作用大。按拱梁承受荷载的比例大小所需拱坝的厚薄程度来分类，拱坝可分为薄拱坝、一般拱坝和重力拱坝等。按悬臂梁形状不同，拱坝有单曲拱坝和双曲拱坝之分，若悬臂梁上游面

铅直，坝体只在水平方向上呈拱形的称之为单曲拱坝，若悬臂梁上游面在铅直方向上也呈凸向上游，坝体在水平和铅直方向上都呈凸向上游则称之为双曲拱坝。按筑坝材料不同，拱坝又有混凝土拱坝和砌石拱坝之分。拱坝的体积小，超载能力强，但地基变形和温度变化对拱坝内力的影响较大。因此，拱坝对地形地质条件、基础处理和施工质量等要求较高，宜建在具有完整、稳定的峡谷中。

支墩坝　由若干支墩和挡水面板所组成的坝。水压力由挡水面板传给支墩，再由支墩传给地基。按挡水面板的类型可分为平板坝、大头坝和连拱坝。

平板坝　通常将挡水平板简支在支墩的托肩上，以适应相邻支墩的不均匀沉陷，避免挡水平板的上游面出现拉应力。但是，平板跨中弯矩较大，仅适用于较低的坝，现已很少采用。

大头坝　是由支墩上游部分向两侧扩展而形成的挡水结构，其头部形式有平头式、圆弧式和钻石式三种。平头式施工方便，但上游面易产生拉应力；圆弧式的应力条件好，但施工模板复杂；钻石式兼有平头式和圆弧式两者之优点，故常采用。目前，世界上最高的大头坝是1975年巴西和巴拉圭合建的伊泰普大头坝，坝高196 m。

连拱坝　由若干倾斜的拱形挡水面板和支墩组成，拱与支墩多用刚性连接，成为空间超静定结构。拱形面板厚度小、跨度大、用料省，但温度变化和地基变形都会使坝身产生应力，故应修建在坚固的岩基上。中国20世纪50年代修建了佛子岭和梅山两座连拱坝，坝高分别为75.9 m和88.24 m。目前，世界上最高的连拱坝是1968年加拿大修建的丹尼尔·约翰逊连拱坝（又名马尼克Ⅴ级坝），坝高214 m。

碾压混凝土坝　以水泥含量低的超干硬性混凝土熟料为筑坝材料，用现代施工机械和振动碾压设备实施运料、通仓铺填、逐层碾压凝结而成的坝。具有坝身构造简单、水泥和模板用量省、施工速度快和工程造价低的优点，是近一二十年来迅速发展起来的新型大体积混凝土坝。

土石坝（含均质坝、斜墙坝、心墙坝、斜心墙坝）　利用当地土石料填筑而成的挡水坝。又称当地材料坝，是土坝和堆石坝的统称。土石坝的横断面形状一般为梯形，通常由维持稳定的坝主体、控制渗流的防渗体、排水设备和护坡等四部分组成，以保证坝的正常工作。视防渗体在坝体中的位置，土石坝又可分为心墙坝（防渗体设于坝体中间）、斜墙坝（防渗体设于坝体上游面）和斜心墙坝（防渗体设于坝体上游面与坝轴线之间）等。按施工方法的不同，土石坝还可分为碾压式土石坝、定向爆破坝、水力冲填坝和水坠坝

等。土石坝是历史悠久而又应用广泛的坝型。从世界坝工建设发展趋势看，土石坝所占比重逐年增大。随着岩土力学和计算技术的发展，大型土石方施工机械和筑坝技术的进展，为高土石坝的迅速发展创造了有利条件。

堆石坝 用块石堆筑的坝。坝身中部设置心墙或在坝的上游面设置斜墙作为防渗体。防渗体可用粘性土、沥青混凝土或钢筋混凝土等做成。堆石坝坝体的沉陷变形较大，故施工中应注意使堆石密实。一般从栈桥（或起重机械）由高处抛石或用振动碾压机压实，在有利的地形地质条件下也有采用定向爆破筑坝的。

混凝土面板堆石坝 以堆石体为支承结构，用混凝土作上游防渗面板的堆石坝，简称面板坝。由面板、垫层、过渡层和堆石区等部分组成，面板起防渗作用，它斜躺在垫层上，顶部与L型挡墙相连，底部与趾板连接构成完整的防渗系统。在20世纪初就开始兴建的面板堆石坝，因施工设备和技术跟不上，坝体变形量大，导致面板开裂漏水，故从20世纪40年代起停止采用该坝型。60年代末期，重型振动碾的应用使停建20多年的混凝土面板堆石坝重新兴起。1968年，澳大利亚成功修建了110 m高的Cethena混凝土面板堆石坝。目前，世界上修建最高的混凝土面板堆石坝是中国的水布垭，坝高233 m。

5. 泄水建筑物

用以排放多余水量、冲沙和冰凌的水工建筑物。其主要形式有溢流坝、溢洪道、泄水孔、泄洪隧洞和水闸等，具有安全泄洪、放空水库的功能。对水库、江河、湖泊、渠道和发电引水前池等的运行起“太平门”的作用，也可用于施工导流。泄水建筑物可设于坝身，也可设于河岸，是水利枢纽中的重要组成部分。设于坝身的泄水建筑物，按其进口高程不同可布置成表孔、中孔、深孔或底孔。表孔泄流能力大，运行方便可靠，是溢流坝和溢洪道的主要形式；设于河岸的溢洪道，按地形地质和水流条件可布置成正槽溢洪道、侧槽溢洪道、竖井式溢洪道、虹吸式溢洪道和泄洪隧洞等。

泄水建筑物的设计内容主要有体型布置、孔口形式选择、断面尺寸拟定以及消能防冲设计等。

随着科学技术的不断发展以及人们对水流规律研究的手段和计算技术不断完善和提高，泄水建筑物中的高速水流、含沙水流、掺气减蚀和抗震、减震耐磨材料等问题的研究都有所发展，使泄水建筑物的设计、施工和运行管理水平不断提高。

溢流坝 又叫滚水坝、溢流堰。顶部允许过水的坝。多用浆砌石和混凝土筑成。坝顶和下游面一般做成圆滑的曲面，使水流平顺地下泄，以减少

坝面冲刷及振动。在坝不太高且泄量较小时，也可做成平顶的梯形断面。在坝下游与河床衔接处采取消能和防护措施，以保证坝体和地基的安全，减轻下泄水流对河床及两岸的冲刷。坝下常用的消能方式有底流消能、挑流消能和面流消能等。

橡胶坝 即固定在混凝土底板上的橡胶囊或橡胶片式的低水头溢流坝。胶囊充水或充气或水气混合后胀立挡水，排空充胀介质，坝体自行坍落紧贴河床，宣泄洪水。该种坝型的优点是坝袋制造工厂化、安装简单、工期短；造价低，节省“三材”；不阻水，能保持河道泄流断面；操作灵活，管理方便。缺点是坝袋易老化，耐久性较差。

坝身泄水孔 位于库面以下的坝身泄水孔道。包括进口段、管身段和出口段。按孔内流态分，有有压泄水孔和无压泄水孔。前者水流充满出口上游整个孔道，无自由水面；后者进口段为有压段，其下游为明流段。近代混凝土坝中设置的泄水孔多采用无压式。按其高程分，有中孔和底孔。前者位置较高，除可供给下游用水外，常用作泄洪；后者位置较低，由进水口、管身段和出口消能段组成，用以调洪预泄和放空水库，或供给下游用水，或辅助泄洪及排沙，甚至兼作施工导流。

溢洪道 在水利枢纽中，常布置于河岸，用以宣泄洪水、保证其他建筑物安全的泄水设施。其形式一般有正槽式、侧槽式、竖井式和虹吸式等。按泄洪的情况，又可分为正常溢洪道和非常溢洪道。前者用于平时泄洪，后者当发生特大洪水水库水位将要漫坝时才使用。

泄水闸 用于排除河道或防洪堤内低洼地区渍水的水闸。常设于排水河道、渠道末端，当堤外水位低时，开闸排水，在汛期则关闸阻挡堤外河水倒灌。其结构类型有开敞式和封闭式两种。

6. 输水建筑物

为灌溉、发电和供水等目的从水源地将水输送到目的地而修建的水工建筑物。如输水渠道、涵管、管道、隧洞以及渠道穿越河流、洼地和山谷的交叉建筑物等。

输水建筑物的设计应满足水流条件的要求，具有足够的强度和稳定性，且结构简单，施工方便，有利于运行和管理，造价低，外形美观等。输水建筑物历史悠久，战国时期就有著名的大型灌溉渠道引漳十二渠和郑国渠。目前，我国已开工建设的南水北调工程是世界上首屈一指的巨型跨流域调水工程。

7. 交叉建筑物

渠道与河渠、洼地、山梁和道路等相交时所修建的水工建筑物。按相交

的空间位置不同可分为平交建筑物和立交建筑物。常用的平交建筑物有滚水坝、水闸等；立交建筑物有渡槽、倒虹吸管、涵洞、隧洞等。当渠道与另一水道底部高程接近或相等时，多采用平交建筑物。当两者高差较大时，多采用立交建筑物。影响立交建筑物形式选择的因素很多，有地形地质条件、输水流量大小、相对高程差、施工难易程度以及工程量和造价等。设计时应进行综合分析比较，选择最优方案以节省投资。

渡槽 是为输送渠水跨越渠道、河流、溪谷、洼地及交通道路等而修建的一种交叉建筑物。其主要作用是输送渠道水流，有时也用于通航、排洪、排沙及导流等。渡槽由进口、槽身、出口及支承结构等部分组成。进出口将槽身与两端渠道连接起来。渡槽的分类方法较多，按所用材料不同有木、砖石、混凝土、钢筋混凝土、钢丝网水泥等；按施工方法不同有现浇整体式和预制装配式等；按支承结构形式不同有梁式、拱式、桁架拱式、桁架梁式以及斜拉式等，常用的有梁式和拱式两种；按断面形状不同又有矩形、U形、梯形、半圆形、抛物线形、半椭圆形和圆管形，工程中常用前两种。其设计内容包括总体布置、选择槽身断面形式和支承结构形式及水力结构计算等。设计时要通盘考虑，使其既安全可靠又经济耐用美观大方。

倒虹吸管 是为输送渠道水流穿过河流、溪谷、洼地及交通道路或另一渠道而设置于地面或地下的压力管道，形状似倒置的虹吸管，故名。适用于交叉高差不大，做渡槽有碍洪水宣泄和车辆、船只通行，或高差虽然较大但采用渡槽不经济合理的场合。倒虹吸管一般由进口、管身、出口三部分组成。进口包括进水口、闸门、启闭台、拦污栅、渐变段等；管身一般沿地面布置以减少开挖工程量，变坡时设镇墩；管身断面一般采用圆形，也可做成矩形或城门洞形，用钢筋混凝土或预应力钢筋混凝土制成，水头较小时也可用砖石、素混凝土建造；出口除在渐变段底部设消力池外，其余布置与进口基本相同。根据地形、交叉建筑物高差及承压水头大小，可采用斜管式倒虹吸、竖井式倒虹吸以及桥式倒虹吸、爬地式倒虹吸等形式，视具体条件选用。

8. 过坝建筑物

为船舶、木竹材和鱼类过坝而修建的水工建筑物。按用途分为通航建筑物、过木建筑物和过鱼建筑物。通航建筑物有船闸、升船机两种基本类型。

船闸 靠水力浮运船舶过坝，常见的有单级船闸、多级船闸，后者用于高水头水利枢纽中，如三峡水利枢纽的主要通航建筑物就采用五级船闸，最大水头为 113 m。

升船机 是将船舶驶入承船厢，利用水力或机械提升过坝，升船机有垂

直提升和斜面提升两种，垂直提升设备多为均衡式，斜面提升有自爬式、卷扬式和水坡式等。

过木建筑物 有筏道、漂木道和过木机等三种类型。筏道和漂木道均利用水力输运木材过坝，筏道具有过木量大的优点，但需耗费一定的水量，与发电、灌溉用水有矛盾。在现代水利枢纽中，采用过木机较多，即利用机械力（卷扬机）牵引装有木材的台车沿斜面轨道升降，输运木材过坝。其形式有链式、架空索道式、斜面卷扬提升式以及桅杆式和塔式起重机等。链式过木机由链条、传动装置、支承结构等部分组成，通常沿土石坝上下游坡面或斜栈桥布置成直线；架空索道是把木竹材提离水面，用封闭环形运动的空中索道将木竹材传送过坝，适用于运送距离较长的枢纽；斜面卷扬提升式过木机由轨道、小车、卷扬机等组成，置木竹材于小车上，由卷扬机拖动小车在轨道上运动传送木竹材过坝；桅杆式、塔式起重机传送木竹材过坝的工作原理同旋转起重机。在航运量不大、水量充沛的枢纽中，也有利用船闸过木或兴建与船闸类似的筏闸。

过鱼建筑物 形式有鱼道、鱼闸和举鱼机等。

鱼道 水利枢纽中供鱼类回游的一种过鱼建筑物。由进口、槽身、出口和诱鱼补给水系统等组成，主要有槽式鱼道、池式鱼道两种。前者亦称“梯级鱼道”，简称“鱼梯”，断面呈矩形，槽中设很多隔板，利用隔板将水位差分成若干级，形成梯级水面跌落，隔板上设过鱼孔；后者由一连串分开的水池组成，各水池间用短的渠道联接，一般都利用天然地形绕岸修建。鱼道内的流速根据所通过鱼类的回游习性设计。

鱼闸、举鱼机 工作原理分别与船闸和升船机相似，为提高集鱼效果，常在鱼闸进口设置拦鱼、诱鱼和导鱼设施，使分散零星的游鱼汇集起来，提高过鱼效率。现代出现了活动过鱼设施——集运鱼船，以解决游鱼习性较难适应过鱼建筑物固定进出口和造价高的问题。集运鱼船分集鱼船和运鱼船两部分，集鱼船可驶至下游鱼类群集区，利用水流通过船身，以诱鱼进入船内，再通过驱鱼装置将鱼驱入运鱼船，经船闸过坝后，将鱼放入上游水库。其优点是机动性大，造价较低，但运行管理费用大，目前仍处于试验研究阶段。

9. 整治建筑物

为改善水流条件，稳定或改变河道而修筑的水工建筑物。即在河道整治工程中，为防止河岸崩塌，稳定河槽，保证航道和行洪通畅，必须平顺水流、调整水流的方向和改善水流对河床、河岸的作用，常需修建治导、护岸工程，如丁坝、顺坝、导流堤、防波堤及各种护岸、护底建筑物等。

丁坝的起始端与原河岸连接，坝头向河槽延伸或逐段延长至计划整治线。由于坝轴线与原河岸构成“丁”字形，故名。

顺坝亦称“导流坝”，是坝轴线与水流或河岸接近平行的治导建筑物。上游端的坝根埋入河岸，下游端的坝头与河岸间留有缺口或直接与河岸连接。顺坝多布置在整治线上，功用是形成新岸线，约束水流，冲深坝前河槽。

10. 反调节水库

亦称“再调节水库”。利用下游水库重新调节上游水库的径流。其任务是解决上游水库径流调节时给其他用水部门带来的不良影响。如葛洲坝水库就是三峡工程的反调节水库。

11. 坝后式电站

电站厂房位于坝后的水电站。是坝式开发中水电站水头相对较高的一类水电站。因水头较高，故将厂房建在坝的下游侧（或一岸地下），这样厂房可不承受上游巨大水压力。常借助于较短的管道，穿过坝身、坝基或坝端岸上（地面或地下），将水电站所需水量从坝上游引入厂房发电。

12. 引水式电站

由水源引水，依靠渠道或隧洞等人工引水建筑物集中落差而发电的水电站。引水式水电站一般在河流上建引水低坝（或闸）将水导入引水建筑物。当水头较高时，还可在引水建筑物之后，用压力水管引水进入水轮机。根据引水建筑物形式的不同，引水式电站可分为无压引水式与有压引水式两种。

13. 河床式电站

电站厂房为挡水建筑物一部分的电站，是坝式开发中水电站水头较低的一种水电站。因其水头较低，坝上游侧的水压力不大，为节省工程量，常将水电站厂房与坝相衔接，作为挡水建筑物的一部分。水电站所需水量直接从厂房上游侧引入厂房，而不必修建专门的引水建筑物。

14. 潮汐电站

利用海岸潮汐水位差而发电的电站。由于潮汐作用，在一些海湾中，往往形成海水位的上升和降落，其水位差可达到利用其发电的数值。在地形条件良好、涨落潮变幅大的海湾，修建大坝将海湾与大海隔开，以形成水量极大而又封闭的水库，利用库水位和海水位的变化水头进行发电。在规划设计中，必须系统、长期地进行大海水位变化观测，以取得可靠的原始资料。在能源需要量大的地区，若具有良好的海湾条件，可考虑修建这种电站。

15. 抽水蓄能电站

简称“蓄能电站”。电站主体工程为位置较高的上水库、位置较低的下水库（两库水位差常在 100 m 以上）、厂房以及联结两水库和厂房的输水道（类似于水电站引水建筑物）。厂房中装有水力发电机组和电力抽水机组，或两者相结合的可逆式机组。蓄能电站有两种工况：在电力系统负荷低落时蓄能机组利用电力系统剩余电能将下水库水抽入上水库称为“抽水工况”；在电力系统负荷高峰时，蓄能机组依靠上水库放下的水流（放至下水库）发电，称为“发电工况”。两种工况交替进行，从而保证火电站或核电站能按尽可能均衡的出力工作，因而保持高效率和低能耗，使供电质量良好。此外，蓄能电站还可以承担电力系统中的备用容量和调相等任务。

16. 梯级水电站

一条河流自上而下修建的一系列水电站的总称。在开发一条河流或其某一支流的水力资源时，若当地条件不适于单独造一个水电站来利用全河水力资源，则常将该河划分为若干河段，分别修建水电站，开发利用整个河段的水力资源。

17. 装机容量

水电站所有额定容量（发电机铭牌出力）的总和，用 $N_{装}$ 表示。它是标志水电规模和生产能力的一项重要指标。较大水电站的装机容量按照最大工作容量 $N_{工}$、备用容量 $N_{备}$ 和季节容量 $N_{季}$ 逐项确定。①最大工作容量。在无调节水电站等于保证出力；在有调节水电站中则可能大于保证出力，参加电网的水电站，结合在电网中工作位置考虑最大工作容量；地区和县骨干水电站，可利用日负荷图确定最大工作容量。②备用容量。承担事故备用、负荷备用、检修备用等任务。无调节水电站一般不设备用容量，但可和季节容量统一考虑适当装设；电网中较大的有调节水电站，由于水库调节性能高，运转灵活，故应装设备用容量。③季节容量。为了利用丰水期季节性电能，无调节水电站可装设一部分季节容量；有调节能力的水电站由于最大工作容量很大，能充分利用水流能量，故可少装季节容量。水电站的装机容量用下式表示：$N_{装}=N_{工}+N_{备}+N_{季}$。小容量水电站装机容量的确定，常采用简化方法并相互验证。

18. 港口

为便于旅客上下、货物装卸、船舶给养或修理可供船只靠泊的场所，是水陆交通枢纽。常位于江、河、湖、海或水库的沿岸，具有一定的设备和条件。范围包括水域和陆域。由航道、港池、锚泊地、码头、仓库或货场、后方

运输设备及必要的管理、服务机构等部分组成。

19. 洪峰流量

河流一次洪水过程最大流量值的统称。

20. 防凌

防范凌汛的工作。北方河流在寒冷季节水面结冰的现象称之为冰凌，在冰凌河段上，由于冰凌堵塞形成冰坝。壅水使水位猛涨，即凌汛。这是由于河道上游河冰先融化、下游尚未解冻所致。防凌包括蓄、分、泄三个方面。“蓄”和“分”是分别运用水库蓄水和利用河渠引水、分流，把河开前上游的冰期壅水量部分地储蓄起来或从其他河道分走，减少到不致造成凌汛威胁的程度，达到防凌的目的。“泄”则是采取打冰或爆破等措施，以促进解冻和破除冰坝，加大下泄量。具体做法有打冰撒土、打封口和爆炸冰坝等。

21. TEU

TEU 是 twentyfoot eguivalent unit 的缩写，是集装箱运量统计单位，以长 20 英尺的集装箱为标准。例如，能装载 5 000 个标准箱的船，便称为拥有 5 000 TEU 的运载力。目前，世界上最大的集装箱船可以装载 9 000 TEU。

参考文献

1. 中国水利百科全书编委会. 中国水利百科全书. 北京：中国水利水电出版社，2006.
2. 水利部农村水利水土保持司，能源部. 水利部水利电力情报研究所. 中国灌区. 北京：农业出版社，1999.
3. 水利词典编委会. 水利词典. 上海：上海辞书出版社，1994.
4. 中国水力发电工程学会主办中国水力发电年鉴编辑部. 中国水力发电年鉴(1949—1983 年、1984—1988 年、1989—1991 年). 北京：水利电力出版社，1984，1989，1992.
5. 潘家铮，何璟主编. 中国大坝 50 年. 北京：中国水利水电出版社，2000.
6. 赵纯厚，朱振宏，周端庄主编. 世界江河与大坝. 北京：中国水利水电出版社，2000.
7. 顾淦臣，束一鸣，沈长松编著. 土石坝工程经验与创新. 北京：中国电力出版社，2004.
8. 水利电力部水利水电规划设计院，湖南省水利水电勘测设计院主编. 中国拱坝. 北京：水利电力部电影图片社，1987.
9. 沈长松，王世夏，林益才，刘晓青. 水工建筑物. 北京：中国水利水电出版社，2008.
10. 中国土木建筑工程百科辞典编委会. 中国土木建筑工程百科辞典·水利工程. 北京：中国建筑工业出版社，2008.

「后记」

为了弘扬中国传统文化，挖掘发展中华水文化，河海大学结合自身的办学特色，在开展水文化研究的基础上，组织编写了《水文化教育丛书》。丛书的根本要旨，在于通过水文化知识的普及和教育，提高人们对水的战略地位的认识，以带动全社会水意识的觉醒和提升；教育人们树立科学发展的水利观，以增强对水的忧患意识；培养人们爱水、节水、护水、亲水的情怀，以养成良好的水文化行为习惯；帮助人们提升水利工程建设中的文化自觉性，以确立人水和谐的科学发展理念。

《丛书》分为10个分册，分别为：《100条江河湖泊》，主编：吴胜兴，副主编：顾圣平、贺军；《100座城市与水》，主编：郑大俊，副主编：刘兴平、钱恂熊；《100项水工程》，主编：吴胜兴，副主编：沈长松、孙学智；《100例水灾害》，主编：颜素珍，副主编：唐德善、汤鸣鸿；《100位水利名人》，主编：王如高，副主编：刘春田、陈家洋；《100首水歌曲》，主编：蔡正林，副主编：刘兴平、沈俐；《100种水用具》，主编：王培君，副主编：戴玉珍、贺杨夏子；《100处水景观》，主编：蒲晓东，副主编：张彦德、潘云涛；《100篇咏水诗文》，主编：尉天骄，副主编：林一顺；《100个水传说》，主编：张建民，副主编：莫小曼、郑如鑫。

《丛书》封面上"水文化"三个字由水利部原副部长敬正书同志题写。在《丛书》的编写过程中，为了充分反映不同时期有关水文化的经典之作，各分册的编写人员通过多种途径，参阅和收集了大量的文献资料。这些文献资料对于进一步传播、发展和弘扬水文化，进一步提升人们的水文化素养具有重要价值。在此，我们对这些文献资料的奉献者表示衷心的感谢。

与此同时，我们还要说明的是，《丛书》各分册选列的是主要参考文献，未能详尽所有文献，在选引中也会有遗漏不全之处，亦敬请各位作者谅解。